D0360839

Dans l'épaisseur de la chair

DU MÊME AUTEUR

CHEZ LE MÊME ÉDITEUR

La Mémoire de riz
Prix de la nouvelle de l'Académie française

Là où les tigres sont chez eux
Prix du roman Fnac
Prix du jury Jean Giono
Prix Médicis

La Montagne de minuit
Grand Prix Thyde Monnier
de la Société des Gens de Lettres

L'Île du Point Némo

JEAN-MARIE BLAS DE ROBLÈS

DANS L'ÉPAISSEUR DE LA CHAIR

Roman

ZULMA
18, rue du Dragon
Paris VIe

Si vous désirez en savoir davantage
sur Zulma ou sur *Dans l'épaisseur de la chair*
n'hésitez pas à nous écrire
ou à consulter notre site.
www.zulma.fr

Z

« C'est une histoire... Une histoire de qui, sur quoi, quand ? Point de hâte. C'est l'histoire, monsieur (peut-être en aura-t-on plus envie de le lire), de ce qui se passe dans l'esprit d'un homme. Dites cela et rien de plus du livre, et vous ne ferez pas mauvaise figure, je vous le garantis, dans un cercle de métaphysiciens. »

LAURENCE STERNE
Vie et opinions de Tristram Shandy

AS DE DENIERS

La secte des badasses

I

Bateau amarré à quai, après une approche en douceur malgré le mistral, j'étouffe le moteur en tirant sur l'étrange manette qui produit cet effet, un peu en dessous de la roue ; j'abaisse les coupe-batteries, puis j'immobilise la barre franche avec le sandow reliant le timon à un tournevis rouillé, fiché à l'angle tribord de la poupe. Omettre cette précaution avant de songer à quitter le bord serait impardonnable : c'est mon père qui a inventé ce système superflu dont je ne saurais oublier la mise en place sans devoir revenir au bateau quelle que soit l'heure du jour ou de la nuit. Les années passant, il s'agit désormais d'un rituel impérieux : y contrevenir mettrait en péril le toujours hypothétique allumage du moteur, voire le bon déroulement d'une future partie de pêche.

2

Tout s'est bien passé aujourd'hui ; j'étais sur le quai à sept heures pétantes, et nous sommes sortis du port juste au moment où le soleil pointait au-dessus de San Salvadour. Une heure de route pour rejoindre le poste de pêche, au large de Carqueiranne, et huit à dix lignes calées puis remontées par trois cent cinquante mètres de fond. Ma mère avait réussi à laver et repasser à temps la vieille chemise bleue porte-bonheur de mon père (celle du pagre de six kilos, en 1964), il avait sa « bonne » casquette vissée sur le crâne (celle des douze daurades roses de deux kilos, en 1976), les salabres étaient bien enchevêtrés à l'intérieur de la cabine, inaccessibles en cas de prise majeure ; les mettre sur le pont eût interdit à tout poisson de mordre à nos appâts, puisque – l'expérience le démontrait – tel mérou d'exception ou tel glorieux espadon n'avaient jamais été remontés que dans la panique et après le miraculeux démêlage des instruments adaptés à leur mise à bord. Le dieu Volvo s'était montré clément ; quant à Fuso, demi-dieu japonais présidant au sonar, il avait daigné nous indiquer à peu près fidèlement, quoique de façon épisodique – à cause d'un problème d'alimentation électrique –, les profondeurs désirées. Sorti sur le côté tribord, le sac de sardines congelées avait bénéficié des premiers rayons du soleil. Quelques centimètres trop à droite ou à gauche, et jusqu'à mon ombre portée, si d'aventure je n'avais pas opté pour ma place habituelle à l'arrière, un peu en deçà de la cabine, sans parler d'un mauvais cap qui eût gardé à l'ombre les puantes friandises : toutes ces variables infinitésimales auraient pu contrarier le dégel des appâts et provoquer l'ire paternelle. Rien de tel ce matin : vingt minutes après le départ, mon père m'a confié la barre pour commencer le boëttage des lignes. Une demi-sardine par hameçon – « pas de tête, pas de queue : les poissons préfèrent sans... ». J'en ai profité pour boire un café dans le capuchon de la petite bouteille thermos que mon père prépare à mon attention ; je ne bois plus que du thé depuis des années, mais ça ne fait rien, il s'agit là aussi d'un rituel figé jusque dans ses moindres détails : la thermos doit être petite, rouge et chinoise – chinoise, à cause d'un ancien modèle rapporté de Tien-Tsin dont le bouchon en liège est censé faire merveille pour la conservation de la chaleur ; petite, à cause de l'encombrement : tout doit tenir dans un seau, avec les biscottes et le sac de sardines ; rouge, à cause des six bonites qui ont suivi l'inauguration du premier modèle. Depuis la perte malencontreuse de cette thermos fondatrice, mon père en a essayé plusieurs, en plastique bleu ou vert, en aluminium – pour tenter d'exorciser le démon de la couleur –, mais la pêche ressemblait à leur café : elle restait désespérément tiède. Par chance, j'ai quelques amis en Chine pour nous faire parvenir le bon modèle lorsque cela s'avère nécessaire.

3

Une fois arrivés sur zone, deux milles au sud-est des Fourmigues, mon père m'envoie installer un bambou de traîne sur bâbord : je râle devant l'inutilité du geste, car il ne s'agit pas de laisser filer un leurre à destination des bonites qui rougissaient chaque saison le pont de notre bateau, mais uniquement d'un artifice destiné à gruger la gendarmerie maritime. Comme nous pêchons avec un moulinet électrique, et que le port bruit de rumeurs – colportées par les pêcheurs professionnels – selon lesquelles plusieurs plaisanciers auraient été condamnés à de fortes amendes pour possession et usage de cet engin illicite, mon cher papa a inventé ce subterfuge magnifique : si d'aventure une vedette de la gendarmerie nous observait à la jumelle, elle ne verrait en nous, grâce au bambou-leurre, que d'inoffensifs et paisibles pêcheurs à la traîne. D'autant plus inoffensifs que pollution et pêche industrielle aidant, plus personne n'a aperçu l'ombre d'une bonite dans nos parages depuis bientôt cinq ans !

4

Mon père a quatre-vingt-treize ans, ce n'est pas une excuse : il a toujours été ainsi. Je suis fier d'être son fils pour une infinité de raisons, mais je l'admire aussi, j'en conviens, pour avoir réussi à transformer si insidieusement toute partie de pêche en liturgie. Notre bon palangrier en bois, construit en 1980 par Cacciutolo à Port-Saint-Louis, est ainsi devenu au fil des jours une sorte de serapeum flottant, un sanctuaire regorgeant de rites propitiatoires impénétrables, d'ex-voto corrodés, d'aires sacrificielles délimitées au centimètre près. Tout y fait signe, le moindre geste y est lourd de conséquences. La façon de se déplacer d'un bord à l'autre, de tester un fil de nylon, de boire, de se nourrir ! Mon père est un chaman tout entier dédié à sa quête des profondeurs marines, il exige de tous ceux qui désirent communier avec lui et profiter de son savoir la même ascèse quasi religieuse, les mêmes privations qu'il s'inflige chaque jour sans sourciller : pour six à huit heures de pêche, il n'emporte en tout et pour tout que la thermos chinoise (trois tasses de café), une bouteille d'eau congelée (pour tenir au frais les poissons dans la glacière ; on peut en boire quelques gouttes vers onze heures, lorsque le glaçon commence à fondre un peu, mais c'est mal vu) et quatre biscottes sous cellophane (il en mangera une vers dix heures – il a du diabète, affaire de vie ou de mort – et moi une autre, par désœuvrement ou parce que j'ai envie de fumer). C'est comme ça depuis quarante ans que je vais à la pêche avec lui, et je ne m'en porte pas plus mal. Les rares fois où mon père a accepté d'emmener quelqu'un d'autre avec nous, prenant sur lui pour ne pas imposer à son invité nos règles cisterciennes, cela s'est toujours mal passé. La personne en question se ramenait à bord avec des croissants, du pain frais, des rillettes, du pastis et du rosé ! Toutes victuailles auxquelles nous refusions de goûter mon père et moi, ce qui avait le don de mettre mal à l'aise notre passager et visait secrètement à l'écœurer de notre compagnie. Il est bien évident que dans une telle situation, nous ne touchions pas à une seule biscotte ni même à l'eau ou au café que nous laissions entièrement à la disposition de notre victime. Allez, allez, nous ne sommes pas ici pour nous amuser, a toujours dit mon père chaque fois que nous arrivions sur les lieux de pêche et que je tardais une seconde à mettre ma ligne à l'eau. J'ai entendu cette phrase toute mon enfance, sans comprendre qu'elle résumait une philosophie, et non le désir d'amasser le plus de poissons possible dans un temps donné : la pêche est une activité sérieuse, une cérémonie – j'y insiste – qui demande le dévouement de tout son être. Une sorte d'incursion dans le monde des ténèbres qu'il faut gagner de haute lutte. Revenir bredouille, ce n'est pas bien grave mais c'est quand même s'être montré indigne. Un peu comme de perdre une partie d'échecs. L'adversaire a été plus fort, à nous d'en tirer les conclusions. Pas la bonne lune, la prochaine fois faudra partir plus tôt ; les daurades roses remontent le tombant vers les fonds de deux cent cinquante mètres dans l'après-midi – mon père assure que Cousteau a écrit ça quelque part – ce qui voudrait dire qu'on a calé nos lignes trop profond ; aujourd'hui on a choisi des plombs de cinq cents grammes, demain on essayera plus lourd pour pallier les effets du courant; les sardines étaient pourries à force d'avoir été recongelées, l'invité précédent nous a porté la scoumoune… Tout peut être prétexte à expliquer cette chose incompréhensible: pourquoi n'a-t-il pris ce jour aucun poisson à l'endroit même où hier encore nous en avons pêché une lessiveuse?

5

Il y a forcément une explication à cette vicissitude, mais comme il n'arrive pas à l'attribuer à une cause rationnelle, il se prend – lui, mécréant de première classe – à regretter que les dieux n'aient pas consenti à nous être propices et à chercher les moyens de nous les rendre à nouveau favorables. Mon père est un Romain qui écoute la météo comme on consultait autrefois les aruspices. Si cela pouvait se faire, je suis persuadé qu'il n'hésiterait pas à sacrifier une mouette avant tout embarquement, et à payer quelque augure pour lire dans les viscères du volatile la moindre chance de revenir au port avec une bonne prise. À peine les lignes calées, il procède ainsi à l'allumage rituel de la radio. Un transistor bas de gamme, du genre premier prix *Made in China*, qui va mettre moins de trois mois à se boursoufler sous les assauts conjugués de la mer et du soleil, puis à imploser, couvert d'écailles et de sang de poisson, avant de rejoindre ses collègues chinois dans le cimetière sous-marin que nous alimentons sans discontinuer depuis plusieurs dizaines d'années. Mon père ne les jette pas devant moi, il sait que cela offusque ma conscience écologiste, il attend que mes vacances se terminent ; lorsque je reviens pour une partie de pêche, il se contente d'exhiber sans mot dire un nouveau boîtier invariablement réglé sur Radio Classique. Le jazz serait plus à son goût, mais seule cette fréquence est favorable : à l'en croire elle agit sur les poissons comme le chant des Sirènes sur les marins de l'Antiquité. Passé la première semaine, toutefois, l'appareil rechigne, il a besoin de rester au soleil un certain temps pour évacuer l'humidité de la nuit avant de réussir à fonctionner. Sa place est donc auprès des sardines mises à décongeler : il y réchauffe ses circuits engorgés durant deux heures avant d'être sollicité. Je pense souvent à l'archéologue du futur qui tombera un jour, par trois cent cinquante mètres de fond, sur ce gisement de transistors incongru ; sans compter les centaines de couteaux et de pinces qui doivent se trouver aux alentours. Mon père a beau avoir été chirurgien, il est d'une insigne maladresse chaque fois qu'il se sert de ses mains pour manier autre chose qu'un scalpel : qu'il monte un hameçon sur une ligne et coupe le fil qui dépasse, c'est une fois sur cinq qu'il jette à la mer le couteau plutôt que le fil ; même chose lorsqu'il s'agit d'utiliser une pince ou un marteau à coquillages. Il consomme ainsi une dizaine d'Opinels par an et une demi-douzaine d'outils flambant neufs. Comme il connaît son handicap, il a toujours plusieurs couteaux d'avance, mais ces derniers rouillent dans leur seau, faute d'être entretenus, si bien qu'ils sont inutilisables en temps opportun et finissent en groupe au fond de la mer avant leur remplacement.

6

Comme à chaque fois, après la pose de nos trois lignes, il y a eu un moment de pure extase : celui de l'attente, une pause de vingt minutes tout entière vouée à la jouissance de la mer. Moteur au ralenti, nous nous sommes laissés dériver au gré du vent à quelques mètres des signaux. Le soleil tardait à percer la brume, au-dessus de l'Almanarre. Sur l'horizon, loin vers l'ouest, une bande outremer annonçait que le mistral ne tarderait pas à se lever. Mon père a jeté à l'eau les têtes de sardine, et une mouette surgie de nulle part est venue amerrir en catastrophe à l'arrière du bateau. Trop tard pour faire autre chose que de contempler, l'air ahuri, les éclats brillants qui commençaient à disparaître dans le bleu. Une jeune mouette arborant déjà son masque d'adulte – sourcils froncés, œil méchant – mais dont le crâne hérissé de duvet ne permettait aucunement de la prendre au sérieux. La radio s'est mise alors à diffuser l'adagio de la Symphonie concertante, et j'ai croisé le regard de mon père, délavé mais brillant, amoureux, juste en harmonie avec les choses. On ne se parle pas beaucoup lui et moi, à peine une dizaine de phrases durant toute la matinée ; rien de ce que nous pourrions dire ne réussirait à exprimer l'intense communion dont nous sommes conscients en ces instants. Tout se passe comme si la beauté du large ne faisait que mettre en scène, chaque fois différemment, notre bonheur d'être ensemble.

7

À neuf heures, lorsque le ferry pour la Corse nous est passé par le travers, à moins de cent mètres, nous avons adressé un petit signe de la main au commandant invisible du navire : nous sommes là tous les jours au même endroit, pile sur sa trajectoire, et mon père a fini par me persuader que ce brave homme a remarqué notre coque de noix bleu et blanc, aussi pérenne qu'un rocher sur le paysage de son radar, et qu'il a une pensée affectueuse pour notre acharnement à l'obliger chaque matin à modifier son cap.

Après avoir récupéré la première ligne et placé la bobine sur le treuil électrique, mon père a aussitôt vérifié la tension du fil en l'effleurant du plat de la main : Il doit y avoir beaucoup de courant, a-t-il dit d'un air mystérieux. J'en ai donc conclu qu'il y avait quelque chose de gros au bout de la ligne. Le treuil tournait effectivement beaucoup moins vite qu'il n'aurait dû, et après quelques minutes il eut même un coup d'arrêt qui bloqua deux secondes le mécanisme. Un gros congre, dit mon père avec une moue de désappointement. Il n'y a que cet animal pour être capable d'arrêter de si loin notre moulinet maison : un moteur d'essuie-glace de Dodge datant de la dernière guerre, mais doté d'une puissance inégalée. Au bout de cent mètres de ligne sans à-coup, nous nous reprîmes à espérer : les congres arrêtaient le treuil quatre à cinq fois au cours d'une remontée, mais les gros merlans ou les mérous ne le faisaient qu'une seule fois, juste avant de se noyer puis de revenir en surface comme des ballons à cause de la soudaine dilatation de leur vessie natatoire. Cinquante mètres de fil plus tard, le moteur s'arrêta encore. *Malabaraka* [1] *!* grogna mon père en fronçant les sourcils. Ce n'est pas grave, dis-je, ça fera toujours plaisir à quelqu'un… Il faut préciser que nous rejetons vivants à la mer tous les poissons de moins de cinq cents grammes ou ceux qui ne sont pas assez nobles, selon la conception très élitiste de mon père, pour être servis à notre table. Exception faite pour certaines grosses prises – requins, sabres, calamars des grands fonds ou même congres – qui sont ramenées au port dans le seul but d'être pesées en public à l'épicerie de Maryvonne, avant d'être offertes avec une générosité confondante à des gens qui ne se doutent pas une seule seconde

[1] « Pas de chance ! »

que nous ne mangerions pour rien au monde de ces bêtes-là.

8

Nous avons scruté le fond avec espérance jusqu'à distinguer enfin la grande forme blanche montant vers le bateau. Entre quinze mètres et la surface, dans les reflets du soleil et la réfraction de l'eau, il y a quelques secondes où tout est encore possible : ce lent fantôme un peu effrayant que nous avons réussi à extirper de l'obscurité prend tour à tour les aspects de nos désirs, merlan, mérou, espadon, avant de révéler sa véritable identité. Mais c'était bien un congre d'une vingtaine de kilos qui se tordait au bout de la ligne. Il émergea un instant à trois mètres du bateau, roulant sur lui-même dans les vagues, avant de replonger et de passer brusquement sous la coque. Je le sentis casser le fil dans une ultime contorsion, et en nous précipitant sur l'autre bord, nous eûmes le temps de le voir onduler à toute vitesse vers le fond.

— Tant mieux, dit mon père, au moins on n'aura pas à laver le pont…

Mais un peu plus tard, il m'interrogea avec un sourire mi-figue, mi-raisin :

— C'était un gros morceau, non ?

— Un pneu de camion, répondis-je. Entre vingt et vingt-cinq kilos, à mon avis.

— Au moins vingt-quatre, dit mon père. C'est

dommage. Il paraît que ce n'est pas mauvais au court-bouillon, avec de la mayonnaise.

— Trop gras, dis-je pour le rassurer, je suis sûr que tu n'aimerais pas.

— De toute façon, il est mieux où il est, a conclu mon père. Il sera plus gros la prochaine fois.

9

Il y a peu de différence entre rater un poisson et le ramener vraiment à bord ; le sentiment de prise est identique, mais il y manque le regard des autres à l'arrivée au port, cette admiration naïve ou envieuse à laquelle mon père ne répond que par monosyllabes, l'air un peu énervé de toute cette attention pour quelque chose d'aussi naturel qu'un énorme poisson sur notre bateau.

Sur la ligne suivante, il y avait une mustelle de belle taille, mais nous n'avons attrapé ensuite qu'une demi-douzaine de roussettes et trois badasses aussitôt remises à l'eau. J'aime bien les badasses, c'est le nom provençal des sébastes : petits poissons orangés à l'air sympathique, mais capables d'avaler une demi-sardine d'un seul coup de gueule. Lorsque j'en tiens une entre mes doigts, je m'efforce toujours d'enlever l'hameçon avec délicatesse pour ne pas aggraver sa blessure, et la bestiole – qui reste alors immobile – semble m'en être reconnaissante. Une fois rejetée à la mer, juste avant de se mettre à nager vers le fond, la plus petite s'est tournée un court instant sur le côté, comme pour jeter un dernier regard aux dieux magnanimes qui lui avaient rendu sa liberté. Encore une, ai-je pensé, qu'on va prendre pour une illuminée lorsqu'elle tentera de raconter qu'en mangeant une sardine hallucinogène elle s'est retrouvée dans un arrière-monde nimbé d'une lumière insoutenable ! À moins qu'elle ne rencontre une autre de ses copines rescapées et ne fonde une secte de badasses éblouies dans les cryptes où verdissent les transistors de mon père. Peut-être même sont-elles déjà des centaines à ne consommer que de la sardine en morceaux avec l'espoir de reproduire le voyage initiatique de ces prêtresses qui arborent une étrange cicatrice au coin de la lèvre.

10

Vers dix heures trente, le vent d'ouest a faibli un peu – ici, on dit qu'il « va chercher des pierres » – puis s'est remis à souffler beaucoup plus fort. On a donc relevé nos dernières lignes, accéléré le moteur et mis le cap au 30, droit vers Carqueiranne.

Durant le trajet de retour, on somnole un peu, on se force, pour ne pas s'endormir de fatigue, à des gestes de barman, nettoyage du pont, rangement, affûtage des couteaux rouillés, avant de glisser dans une torpeur d'iguane. C'est le moment où les pensées divaguent, bercées par les surfs réguliers du bateau sur la grosse houle arrière, et celui justement où le visage de mon copain Jean-Charles m'est revenu en mémoire. Un ami d'enfance plus jeune de quelques années, mais qui a contribué en partie à faire de moi ce que je suis. Passionné de voile, il m'avait initié au Vaurien dès l'âge de dix ans, puis emmené sur le voilier de son père, un Requin en acajou des années cinquante avec lequel nous allions pique-niquer à Porquerolles. Son père avait acheté ensuite un Corsaire que nous empruntions la nuit pour de longues virées tous feux éteints. C'était l'époque de nos dix-sept ans, et il y avait toujours une bouteille de rhum à bord, parfois même une fille auprès de laquelle nous roucoulions en silence et pour qui nous allumions dans le sillage les fusées de détresse du bateau. Ces faiblesses combinées nous avaient valu de belles frayeurs, en particulier cette nuit de grosse mer où une goélette de quarante pieds faillit nous éperonner au voisinage des Fourmigues. L'embarcation était passée à un mètre du tableau arrière ! Malgré notre forfanterie après l'engueulade du skipper, nous avions tiré les leçons de cette mésaventure et allumé nos feux. Quelques années plus tard il y avait eu les régates sur *Ulysse*, un Westerly 40 sur lequel nous embarquions comme équipiers pour la Giraglia ou la Croisière bleue. Des courses qui avaient donné lieu à de mémorables bordées d'escales. Et puis nos vies de jeunes adultes nous avaient séparés : j'étais parti au Brésil, Jean-Charles s'était fixé aux États-Unis au hasard d'un convoyage, et nous avions perdu le contact. Par son père, que je rencontrais parfois à l'occasion de mes vacances à Carqueiranne, je sus qu'il s'était marié avec une militaire américaine et vivait en Californie. Il y a une dizaine d'années, j'appris ainsi qu'il avait eu un garçon ; et cinq ans après une petite fille, peu avant l'opération de son épouse pour un cancer du poumon. Deux semaines plus tôt, enfin, ses parents m'avaient annoncé l'affreuse nouvelle : Jean-Charles s'était suicidé en se tirant une balle dans la bouche.

II

J'ai repris mes esprits quelques minutes, le temps d'éviter un yacht qui faisait route de collision sur tribord, et mon père m'a offert une biscotte.

— Tu as su pour Jean-Charles ? m'a-t-il dit, comme s'il avait suivi exactement le cours de mes pensées.

— Oui, un vrai crève-cœur... Pourquoi a-t-il fait ça, on a une idée ?

— Pas vraiment... Après une scène avec sa femme, pour ce que j'en sais. Elle l'a frappé, il est monté à l'étage, fou de colère, et on a entendu le coup de feu. En tout cas, c'est ce qu'elle a raconté à la mère de Jean-Charles. Sa femme attendait un donneur pour une greffe de poumon, ça l'a rendue à moitié folle. Il paraît qu'elle faisait chambre à part et dormait avec sa fille depuis sa naissance. Quant à son fils, le petit

Antoine, elle le faisait coucher par terre, au pied de son lit, lorsque son père était en déplacement. Pour la protéger, soi-disant. Elle le bourrait de barbituriques parce qu'elle avait lu un truc sur les « hyperactifs » ! À l'américaine, quoi, tu vois le genre…

— Elle aurait dû voir un psy, non ?

— Oh, tu penses si elle y est allée, mais sans lui raconter qu'elle frappait son mari ni qu'elle couchait dans le même lit que sa fille depuis cinq ans ; quand sa belle-mère lui a demandé pourquoi, elle lui a répondu que personne n'avait à connaître son intimité. Et attends, il y a pire : au moment du coup de feu, tu crois qu'elle s'est précipitée ? Non, elle a expédié le gosse : « Va voir ce qu'il a encore fait, ton con de père. » C'est lui qui a découvert le corps, *meskine*[1]…

Le phare était tout proche, et nous avons cessé de parler pour la manœuvre. Je suis resté concentré sur l'accostage, et ce n'est qu'une fois le bateau amarré que j'ai aperçu les deux personnes qui nous attendaient sur le quai : le père de Jean-Charles et… Jean-Charles lui-même, Jean-Charles à dix ans, avec sa tignasse blonde et sa tête un peu inclinée sur le côté. Mon père a dû voir à quel point j'étais troublé, parce qu'il m'a pris le bras et s'est penché vers moi :

— C'est Antoine, le fils de Jean-Charles. J'ai oublié de te le dire, il est là depuis quelques jours ; sa mère

[1] « Le pauvre… »

l'a envoyé pour apporter à ses grands-parents les cendres de son père, il n'a pas lâché l'urne de tout le voyage…

J'ai embrassé Antoine, fourragé gentiment dans ses cheveux, et puis nous sommes rentrés à la maison, sans même parler de la mustelle à qui que ce soit.

Transporté au ciel de la mémoire

12

Cette scène sinistre, je veux dire celle de l'urne cinéraire et du terrible brouillard d'amertume qui s'en est échappé, assombrissant l'azur en plein midi, je l'ai vécue l'été dernier. Elle a constitué le point d'orgue de mes vacances et comme leur justification. De retour chez moi, dans le nord, j'ai continué à tricoter ma vie, ou essayé, bu pas mal, travaillé aussi. Tout autant, je crois. Sans résultat fracassant, ni pour la vie ni pour le travail, et encore moins quant à ma participation au devenir du monde. Les semaines ont passé, très vite, cadencées par l'horloge de cuisine et la misère crasse des habitudes : la salle de bains, de nuit, pour satisfaire à de nébuleuses mictions, France Info, inaudible sous le ruminement teigneux de la machine à café, la vaisselle dans l'évier, le grand mur blême derrière les vitres de plus en plus sales de la fenêtre, le bout de ciel neutre au-dessus des ardoises luisantes, et puis la brosse à dents, à cause de cette haleine de mort qui nous reste du sommeil et de ses charniers, justifiant qu'on s'attache un instant à la transfigurer. Comment dire le dégoût, après la douche, du bonheur sans substance d'un dentifrice mentholé ?

13

Mais quoi ? me dit Heidegger. Que cherches-tu à prouver ? Une fois que tu auras pesté contre les affres du quotidien, contre le temps qui passe, qu'auras-tu dit sinon ce que tout le monde sait ?

Heidegger, certains d'entre vous s'en souviennent, c'était mon perroquet. En vérité, il ne parlait jamais. Un échec de perroquet, mis à part la phrase de Hölderlin qu'il massacrait de plus en plus rarement. Je l'ai laissé chez lui, au Brésil, et malgré ça, je continue à l'entendre comme une sorte de conscience extérieure qui me dirait des choses tout en dedans. Par esprit de contradiction, de vengeance, peut-être, il me titille, m'agace, m'« interpelle », ainsi qu'on s'exprimait dans les milieux où l'on a aujourd'hui pour animaux domestiques des caméléons et des boas plutôt que des lévriers. Je pense à cette jeune femme, fille de grand couturier, qui m'avouait prendre sa douche en compagnie de son corbeau apprivoisé, avec pour seul désagrément que l'animal lui fientait de temps à autre sur la poitrine. Qu'elle n'en éprouvât point de déplaisir, m'avait-elle confié, et que cela lui procurait au contraire quelques frissons délicieux, l'« interpellait ».

14

Projet : Faire une étude sociologique à partir des vivariums, des niches, des litières, des cages et autres roues à écureuil par quoi les humains satisfont sans grandeur leur instinct primordial de domination.

15

Le fait est qu'à l'approche des vacances de Noël, j'attendais avec impatience la perspective d'un retour vers le sud, la Méditerranée, la parenthèse d'un court blottissement familial. Le long voyage en train, les quatre valises – l'une pour moi, les autres pour chacun de mes trois garçons –, le bleu du ciel, enfin, quelque part après Valence, l'apparition de la mer à La Ciotat ! Les enfants exultaient. Moi aussi, d'une certaine façon. Mais peut-être l'un d'entre eux écrira-t-il un jour que j'étais seul à jouir de cette approche, et qu'à l'inverse il échouait à en ressentir une joie pure.

Retrouver mes parents fut un vrai plaisir, à peine terni par l'installation des couchages dans la petite chambre mise à notre disposition : une fois dépliée, la banquette où je dors avec le benjamin de mes petits touche le plus bas des lits superposés accueillant les deux autres. Comme il n'y a pas de placard, il faut laisser les valises pleines et les caser tant bien que mal sous les sommiers. Inenvisageable ensuite de se mouvoir dans la pièce ou d'y tirer, au matin, draps et couvertures. Un clapier dont tout le monde fait semblant de se contenter.

N'allez pas croire que je me plains. Dire que je regrette de ne pas jouir d'un espace moins étriqué ne signifie pas pour autant que je regrette d'être là où je me trouve. J'essaye seulement de dresser un décor, de décrire les lieux, d'apprivoiser les phénomènes, avec l'espoir que cela nous aidera à appréhender ensemble le drame qui a suivi.

16

Drame est un peu exagéré, non ? me chuchote Heidegger.

J'entends sans approuver. Si les mots ont un sens, ce qui est advenu ce soir-là fut à coup sûr quelque chose de pathétique.

C'était après le repas, alors que nous étions encore à table dans la cuisine, et que ma mère s'affairait à équeuter des fraises. Cela fait un certain temps – depuis l'anniversaire de ses quatre-vingt-dix ans – que je tanne mon père pour qu'il se raconte. Une espèce d'urgence à récupérer le plus possible de sa vie, comme si la mienne et celle de mes enfants en dépendaient. Cette urgence même lui déplaît, il y perçoit l'imminence de sa mort, et j'imagine, comme sa précipitation. Par amour pour moi, il se fait violence et répond boudeusement à mes questions, répétant que ce qu'il a vécu n'a aucune importance, n'intéresse personne, que je vais à la catastrophe avec mon idée de livre. Pour peu que j'insiste, cependant, il se prend au jeu, remonte dans ses souvenirs, relate une fois de plus telle anecdote, mais avec des variantes, de nouveaux détails, des noms qui lui reviennent. De verre en verre, j'ai presque fini la bouteille de juliénas ; une façon d'affronter ce je-ne-sais-quoi d'anormal qui consiste à accoucher son père.

Comment il en est venu à me lâcher son nuage d'encre dans la figure, je ne m'en souviens pas ; sans doute après l'une de mes questions trop insistantes sur la guerre d'Algérie, ou un commentaire jugé partial. Son visage s'est fermé pour me signifier que j'étais allé trop loin, que ce n'était plus la peine de discuter avec moi. Prenant à témoin ma mère et mes propres enfants, il a dégoupillé comme en passant une grenade à fragmentation :

— Toi, de toute façon, tu n'as jamais été un vrai pied-noir !

17

Il a dit cette énormité sur un ton si désabusé, si franchement déçu, que cela m'a d'abord coupé la chique, avant de m'éclabousser de mille éclats tranchants. Pour quelqu'un qui s'est toujours vanté de n'avoir pas tiré un seul coup de feu durant son existence, il savait tuer son homme.

Fine mouche, ma mère n'a rien trouvé de mieux que de s'étouffer alors avec son morceau de clémentine. Le temps de la regarder bleuir, de voir mon père s'énerver contre elle – Bon sang ! tu sais bien que tu ne dois pas parler quand tu manges une clémentine ! – puis de la voir revenir à la vie, et il m'était devenu impossible de réagir. J'étais à terre, blessé à mort, bouche ouverte dans l'argile laiteuse d'une ornière.

18

Je n'en ai pas dormi de la nuit. Au petit matin, j'ai laissé un mot dans la cuisine disant que je prenais le bateau pour aller pêcher. J'ai sorti un kilo de sardines du congélateur, emporté quelques lignes et démarré le pointu à cinq heures trente. Cap au 240 vers le grand noir.

Tout en naviguant, barre coincée entre les cuisses, je ruminais la phrase de mon père, moins pour en pénétrer la signification que pour essayer de comprendre pourquoi j'en avais été à ce point humilié.

Après les « anciennes barriques » – cela ne dira rien à ceux qui ne sont pas du coin, peu de gens à vrai dire, quelques vieillards dont je m'aperçois que d'avoir vu autrefois ces énormes bouées métalliques destinées aux navires de guerre, me rapproche du banc où ils réchauffent leurs vieux os en devisant sur ce qui n'existe plus – après les « anciennes barriques », ce lieu très précis sur la mer, à angle droit avec les Fourmigues, au nord, et les Oursinières à l'ouest, j'ai senti la brise du large, et en même temps, à sa tiédeur, à sa respiration paisible, qu'elle ne ferait que s'apaiser tout au long de la journée. Calmasse, ici on dit « bonace », calme plat assuré, je l'aurais parié à coup sûr contre tout autre pronostic.

Durant plus d'une heure, j'ai poursuivi ma route à l'aveuglette. Six milles marins vers nulle part, avec mes petites loupiotes rouge et verte aux angles de la cabine. Une route fictive, à peine balisée par l'aiguille tremblotante d'un compas.

Quand le sondeur a marqué trois cent soixante-dix mètres, j'ai attendu qu'il indique les quatre cents, puis les six cents, sa limite, avant de cesser tout affichage. Un peu plus tard, il a recommencé à s'éclairer : cinq cent soixante, trois cents, deux cent quatre-vingts... À cent cinquante mètres, j'ai mis le moteur au point mort et attendu que le bateau s'arrête sur son erre. J'étais très loin de la côte, sur les hauts-fonds de La Plane, en face de La Seyne-sur-Mer et de Saint-Mandrier ; à cinquante mètres près, j'en étais sûr même sans GPS, de notre poste de pêche préféré. Une exactitude accessoire, dans la mesure où j'ai toujours été persuadé que les poissons n'attendaient pas tranquillement notre venue à cet endroit, qu'ils avaient leur vie propre, et que par conséquent la sacralisation du lieu était un pur fantasme paternel. En ce matin du 24 décembre, plus que jamais, la pêche n'était pour moi qu'un prétexte à l'égarement, le moyen de m'éloigner aussi loin que possible des hommes et de moi-même.

19

J'ai fait les gestes, vérifié que les phosphorescences de la mer ne défilaient plus le long de la coque, et suis passé à l'avant pour ouvrir le panneau de pont. Après avoir sorti le grappin, je l'ai fait descendre par la poulie de proue, laissant filer les quinze mètres de chaîne rouillée, puis la corde jusqu'à ce qu'elle s'arrête d'elle-même. Cinq brasses de plus, pour la forme, et je l'ai amarrée au taquet. Ensuite, j'ai attendu debout que l'ancre s'accroche et que le bateau s'aimante de façon convenable vers le mouillage.

C'est en revenant à l'arrière que tout a basculé : en même temps que je remarquais les irisations de mazout sur le pont, autour du réservoir, j'ai entrevu la traînée verte d'une lumière et senti mon corps se raidir subitement au contact de l'eau. J'étais tombé à la mer.

Mon premier réflexe fut de m'agripper au bateau. Comme ce dernier est assez bas sur l'eau, il m'a suffi d'un coup de reins pour attraper le plat-bord des deux mains.

Me hisser sur les avant-bras, passer un genou sur le côté, puis me rétablir sur le pont, je l'avais fait mille fois, mais là, ça ne fonctionnait plus. J'avais beau faire, pédaler dans l'eau de toutes mes forces en tirant sur mes bras, je ne parvenais qu'à me soulever lamentablement d'une vingtaine de centimètres. J'ai essayé encore et encore, pris de panique, cherchant l'endroit le plus accessible. C'était si invraisemblable qu'il m'a fallu plusieurs minutes pour comprendre : je n'avais pas effectué cet exercice depuis bientôt quarante ans, et lorsque je le faisais alors, devant le regard admiratif des baigneurs qui patientaient sous l'échelle pour remonter à bord, j'avais non seulement des muscles de jeune homme, mais aussi une paire de palmes dont je vérifiais maintenant l'utilité.

20

Ah, l'échelle ! Une échelle portable, fabriquée sur mesure pour se déplier le long de la coque. Mon père (je ne me souviens pas de l'avoir vu dans l'eau, je ne suis même pas sûr qu'il sache nager !) se tuait à me dire de ne jamais partir seul à la pêche sans l'emporter avec moi.

Avec lui, en revanche, c'était exclu : la prendre eût signifié que nous allions en mer avec l'intention de nous baigner, ce qui aurait constitué un manquement grave au code non écrit de l'halieutique ; ou que nous avions peur de tomber à l'eau, ce qui était encore pire du point de vue de notre honneur d'Espagnols.

J'avais oublié l'échelle dans le garage, et j'étais à la mer, putain, merde !

21

Oui, c'est ce juron qui m'est venu aux lèvres, moi qui n'en prononce jamais, quand bien même je les pense très fortement (j'ai de bonnes raisons de m'en abstenir : patience, le moment viendra où je vous les dirai), parce que je me trouvais pris en faute devant cette évidence que j'aurais dû suivre les conseils de mon père. J'avais emprunté « son » bateau, celui qu'il avait tant aimé avant de m'en faire seul propriétaire, l'année dernière, par une volonté de transmission émouvante, mais compliquée pour moi à assumer. Et j'étais là, surplombé par cette arche massive, comme lorsque nous suivions sa construction sur le chantier de Port-Saint-Louis, nageotant le long de ses flancs, chassé d'un paradis que je n'avais pas réussi à mériter.

Sous la proue, la corde tendue à quarante-cinq degrés parut offrir soudain une solution. Je tentai d'y grimper, d'y enrouler mes jambes ; toutes les contorsions que vous pouvez imaginer, voyez-les dans votre esprit et sachez que je les accomplis en vain. C'est la main accrochée à cette oblique plongeant à quatre cents mètres au-dessous de moi, seul, désemparé, que je fus « ravi », enlevé de force, transporté au ciel de la mémoire.

Caracoles : Españoles

22

Mon père s'appelle Manuel Cortès. Le sien s'appelait Juan, « Juanico » entre intimes, et il y avait eu un moment où la corde s'était tendue pour celui-là à peu près sous le même angle.

Mon grand-père avait débarqué en Algérie au mois de juillet 1882, le jour anniversaire de ses quatre ans. Ses parents s'étaient longtemps agrippés à leur terre andalouse, résistant aux vagues d'émigration qui se succédaient depuis vingt ans. Ici, la sécheresse endémique, les terres brûlées en front de mer, les paysages lunaires sous le ciel profond de Cabo de Gata. De l'autre côté, disaient ceux qui avaient franchi le pas, c'était le même décor, mais avec des sources, des rivières, des plaines à l'abandon qui ne demandaient qu'à être défrichées et irriguées pour se remettre à produire généreusement. Ce n'était certes pas un pays de cocagne : on y côtoyait le typhus de fort près, le choléra, la dysenterie ; des nuages de criquets vous boulottaient une récolte en moins de deux, tremblements de terre et crues ravageuses remettaient ça quelques semaines plus tard, des bandits arabes attaquaient les fermes, rançonnaient les gens sur les chemins, sans parler du sirocco, et de l'angoisse qui vous brûlait la gorge lorsqu'il fallait d'urgence calfeutrer les ouvertures de la maison pour échapper à cette exhalaison d'enfer. Au matin, il y avait trente centimètres de sable rose accumulé sur le rebord des fenêtres, on respirait profondément, avec la lenteur éberluée de ceux qui s'étonnent d'avoir échappé à l'asphyxie. Et cependant, cela ne semblait pas si terrible à des gens qui survivaient avec peine à une enjambée de l'Afrique, là où d'autres Espagnols réussissaient à faire manger leur femme et leurs enfants.

23

Le père de Juanico, Francisco, avait un lopin de terre sur les contreforts de la montagne et une barque de pêche à Adra ; la terre ne produisait plus que des lézards, la pêche, des sardines qui pourrissaient sur les docks, faute de clients pour les acheter. C'était tragique, mais encore supportable, si fort est l'attachement de l'homme au sol qui l'a fait naître.

Quand Francisco fut tiré au sort pour le service militaire – ce qui signifiait partir à Cuba rejoindre le contingent d'appelés miséreux qui se faisaient massacrer là-bas au nom du drapeau espagnol – la décision fut immédiate. Il n'avait pas l'argent nécessaire à l'envoi d'un suppléant, sa femme et ses enfants ne survivraient pas à son absence.

La traversée vers l'Algérie était abordable, il n'eut qu'à vendre sa barque au prix du bois pour être en mesure d'acheter leur passage sur le *Tintoré*, un vapeur qui reliait Alicante à Oran, tout en gardant une petite réserve de secours. Nul besoin de visa ou de papiers, la France avait choisi de fermer les yeux sur ces formalités, pressée d'exploiter un territoire conquis durement, mais qu'aucun Français ne consentait à cultiver. *Vamo nos*[1], avait-il dit à sa femme sur le ton qu'il employait pour partir aux champs.

24

Ils n'avaient rien, leurs bagages furent vite faits : deux grandes *capachas*[2] remplies d'ustensiles de cuisine (la poêle à frire avait été la première chose à s'y trouver), une pioche, des couvertures et les vêtements qu'ils portaient sur eux ; plus le matelas qu'ils avaient eu tant de mal à s'offrir et sur lequel ils dormaient tous, le père, la mère, Juanico et son petit frère Félix. En cela, ils ressemblaient trait pour trait à ceux qui les avaient précédés : des escargots avec leur fourbi de pauvres sur le dos. *Caracoles*, disaient les douaniers français, mépris aux lèvres, et tout le monde entendait : *Españoles*.

[1] « On y va. »
[2] Couffins.

25

Francisco avait un contact à Sidi-Bel-Abbès. Trois jours après avoir débarqué à Oran, il fut recruté par la Compagnie franco-algérienne et se joignit à une équipe de cueilleurs d'alfa. Une chance. Les Anglais avaient trouvé le moyen de fabriquer un papier supérieur à partir de cette broussaille qui poussait à perte de vue sur les hauts plateaux de Saïda, mais qu'on n'utilisait jusque-là que pour la sparterie ou les cordages. Le salaire était mirobolant, cinq fois supérieur à ce que Francisco pouvait gagner en Espagne les meilleurs jours. La Compagnie avait besoin de la force de travail des Espagnols, et plus que cela, de leur volonté de vivre.

Pour un labeur de dix heures par jour, affirmait-on, un indigène atteignait un rendement moyen de cent trente kilogrammes secs, un vieillard ou une femme quatre-vingt-dix kilos et un enfant trente-cinq ; pour le même temps de travail, l'Espagnol parvenait à une moyenne de deux cent vingt kilos ! Vraie ou fausse, cette supériorité consentie au travailleur immigré de l'Andalousie expliquait pourquoi les trois plus grandes villes d'Oranie, Oran, Sidi-Bel-Abbès et Saint-Denis-du-Sig, étaient alors peuplées de quatre fois plus d'Espagnols que de Français.

26

En deux ans de travail, Francisco économisa suffisamment pour installer sa famille à Bel-Abbès, dans un meublé de la Calle del Sol[1] ; il acheta une charrette, un train de six mules, et se fit colporteur. Les milliers de manœuvres éparpillés dans le bled avaient besoin de nourriture, d'outils, de tissus, d'espadrilles, toutes choses introuvables – il le savait d'expérience – dans les endroits reculés où on les employait au défrichement, à la cueillette ou à la mise en valeur des propriétés agricoles.

Francisco entreprit de les leur procurer. Son attelage débordant de sacs de grains, de caisses et de ballots, un fusil sous la banquette, ses deux gosses à côté de lui, il partait sur les chemins pour des tournées qui duraient parfois plus d'une semaine. Jusqu'à Saïda, bien sûr, mais aussi dans les montagnes du Telagh ou de Tlemcen, jusqu'à Bedeau, jusqu'à Crampel et son paysage de désolation.

27

El asafranero ! El asafranero[2] *!* À son arrivée, ce bazar ambulant provoquait un attroupement de compatriotes soucieux de recevoir leurs commandes

1 Rue du Soleil.

2 « Le marchand de safran ! »

de semences ou d'outillage, mais surtout pressés d'acquérir les ingrédients nécessaires à leur alimentation espagnole : l'huile d'olive – c'est la base, *hombre* ! –, les têtes d'ail et l'oignon pour faire chanter la poêle ; le riz, qui donne tant de saveur au poulet, les pois chiches, la farine de maïs indispensable aux *migas*[1], on n'en était plus à les faire avec des miettes de pain sec comme dans les temps difficiles, les tonnelets de sardines salées – ces « côtelettes espagnoles » dont se moquaient ceux qui avaient les moyens d'acheter de l'agneau –, les *tramussos* pour l'apéritif – *ah, puta madre !* ce régal à détacher la peau des jujubes confits avant de craquer l'amande sous la dent ! – les bonbonnes de vin noir, le Cristal, l'anisette des frères Limiñana, dans leurs précieuses bouteilles rectangulaires, les languettes de piment rouge, les guirlandes de *ñoras*[2] séchées, et le safran, *el azafrán* mordoré sans quoi rien de comestible ne saurait avoir de goût.

Juanico et Félix aidaient à décharger, à emballer, à livrer, puis s'endormaient dans la charrette, enivrés de fatigue et de senteurs d'épices. Pas d'école, aucun devoir, juste la poussière des routes et l'odeur âcre de leur père qui s'affalait auprès d'eux, tard dans la nuit, pour se mettre aussitôt à ronfler sous les étoiles.

[1] Plat de semoule à l'ail et à l'huile d'olive.

[2] Petits poivrons.

28

Cette vie dura dix ans. Toute une enfance et une adolescence à courir le djebel sans autre apprentissage que celui des signes du ciel et de la terre. Quand Francisco mourut un soir de juin, au comptoir d'un café de Lamoricière, on crut qu'il s'était étouffé de rire à cause d'une bonne blague sur les Juifs, mais on trouva ensuite un *torraico* coincé dans sa trachée, l'un des pois chiches grillés qu'il grignotait pour la kémia.

Soutien de famille à l'âge de seize ans, Juanico prit les rênes de la charrette et continua le commerce de son père.

29

La Compagnie franco-algérienne avait alors mis en service le chemin de fer destiné à convoyer l'alfa d'Oranie jusqu'au port d'Arzew, réseau qui représentait la contrepartie des trois cent mille hectares concédés par l'État pour l'exploitation de cette manne. Le train permettant aussi de ravitailler les populations éparses dans les chantiers, la concurrence se fit sentir. Juanico changea aussitôt son fusil d'épaule. Il concentra son commerce sur les alcools, l'anisette principalement, réduisit son champ d'action aux bourgades proches de Bel-Abbès et s'en trouva bien.

Son frère Félix continuait de l'accompagner. Tous deux s'étaient laissé pousser la moustache ; malgré leur petite taille et leur manque de conversation, ils plaisaient aux femmes.

30

Pour avoir été réduite, la tournée n'en restait pas moins hasardeuse, tant il fallait compter avec les coupeurs de routes. Parmi eux, la « bande à Mimoun » s'était taillé depuis peu une solide réputation de bandits d'honneur. Sous la conduite de leur chef, ces quatre Arabes armés de flingots pénétraient dans les fermes, ordonnaient qu'on leur serve de quoi manger et s'attablaient durant une heure. Après quoi, ils se lavaient les mains, demandaient son argent au maître de maison, le remerciaient avec courtoisie, puis disparaissaient. Ils n'attaquaient strictement que les riches colons français. Leur audace, et surtout leur aptitude à échapper aux troupes de légionnaires lancées à leur poursuite, faisait l'objet d'intarissables conversations. On les savait capables de courir plus de cinquante kilomètres en quelques heures. À peine s'étaient-ils illustrés à Montagnac, qu'on les signalait déjà à Parmentier ! Leurs exploits restaient ternis, cependant, par des exactions qui terrifiaient : pour avoir tenté de résister, certains colons avaient été exécutés séance tenante ; pire, la bande à Mimoun ne quittait jamais une ferme sans avoir violé au moins une des femmes qui s'y trouvaient.

C'est durant l'hiver 1908 que Juanico eut affaire à eux. L'orage avait surpris les frères en pleine campagne, vers Mercier-Lacombe. La charrette s'était embourbée jusqu'aux moyeux, impossible de la dégager. Ils s'ingéniaient en vain, pesant sur une barre de métal pour faire levier, lorsque les quatre Arabes surgirent comme des diables sur le bas-côté ; ils posèrent leurs carabines, et sans dire un mot, les rejoignirent dans la gadoue. Dix minutes plus tard, la charrette se trouvait de nouveau sur la terre ferme.

— C'est fait, mon frère, avait dit Mimoun. Qu'Allah te garde en sa protection.

— Merci, répondit Juanico en lui tendant deux bouteilles d'anis.

L'Arabe l'avait regardé curieusement et s'était détourné.

Juanico se rappellerait toute sa vie le sourire qui fendillait son visage de christ mort, ruisselant sous l'averse.

Dans l'opacité même de la langue, une parole s'était donnée ; longtemps après, ils eurent une occasion de s'en souvenir.

31

En 1910, l'année de ses trente et un ans, Juanico se mit à fréquenter Antoñetta Vicedo, une jeunette espagnole de Bel-Abbès qu'il avait remarquée sur le parvis de l'église. Une femme de tête, malgré ses dix-sept ans.

Elle voulut bien de Juanico, mais pas d'un colporteur risquant sa vie sur les chemins. Comme tout le monde, elle savait l'histoire du fusilier Redon, un légionnaire du 2e régiment étranger en route vers Daya. S'étant éloigné de la troupe pour aller chasser le lapin, il s'était fait dévorer par un lion ! À part son fusil et une chemise ensanglantée, on n'avait retrouvé de lui que sa mâchoire inférieure, dénudée et brisée en trois morceaux !

Pourquoi ne pas se fixer à la ville, où l'on pourrait se voir tous les jours, fonder une famille, paraître honorablement ? Juanico avait amassé un petit pécule, il en parla à Rebibo, son copain d'enfance, un Juif qui tenait une échoppe de cuirs et peaux en plein cœur du faubourg Négrier. Ce dernier lui prêta le complément nécessaire, et l'aîné des Cortès acheta un bar minuscule qui avait l'avantage d'être situé au 18, rue de la République, à deux pas de la place Carnot. Il céda la charrette et son commerce de liqueurs à son frère Félix, lequel fut ravi de pouvoir enfin voler de ses propres ailes.

32

Juanico croyait s'être distingué par son esprit d'initiative, mais il n'avait fait que réagir comme la plupart de ses compatriotes ; sitôt qu'ils le pouvaient, en effet, les Espagnols s'établissaient, reprenant les petits métiers qu'ils exerçaient auparavant ou tentaient vaille que vaille de gravir un échelon dans la hiérarchie sociale.

Lors de sa première ouverture, en 1866, le bar en question s'était appelé Le Zulma, en hommage à la cantatrice Zulma Bouffar qui triomphait alors dans les opérettes d'Offenbach ; époque où malgré l'essor de la bourgade, nombre de ses habitants parlaient encore de Bel-Abbès comme d'une « biscuit-ville », nom donné aux relais d'approvisionnement destinés aux colonnes du général Bugeaud durant la conquête. Apprécié par la troupe, Le Zulma était vite devenu La Cantina, l'assommoir préféré des légionnaires. Sur les conseils d'Antoñetta, Juanico réorganisa la décoration. Un ami ébéniste lui fabriqua un comptoir en acajou et du mobilier assorti ; chez Auguste Juan – « Meublez-vous chez Juan, vous en serez contents » – il négocia des miroirs biseautés à un bon prix, et pour finir il fit peindre une nouvelle enseigne qui résumait le rêve d'Antoñetta : Chez Juanico.

Les légionnaires ne changèrent pas leurs habitudes, le bar prospéra.

33

Juanico et Antoñetta se marièrent en janvier 1911. Dès l'année suivante leur vint un fils que sa mère voulut appeler Antoine, pour honorer saint Antoine de Padoue. Il mourut au douzième jour.

Deux ans plus tard, accouchée à nouveau d'un fils, Antoñetta se décida pour François. Il vécut.

L'enfant qui suivit, elle le nomma Antoine. Il mourut à trois mois d'une fièvre typhoïde.

En 1918, enceinte une fois de plus et considérant que le prénom Antoine portait malheur, elle opta pour Jean. Il vécut. Au suivant, elle se ravisa, tout cela n'était que superstition : le fils qui venait de naître s'appellerait Antoine. La dysenterie l'emporta avant son premier anniversaire.

Une année de plus, et le problème se reposa. Une petite fille fut nommée Marie, et elle vécut.

Opiniâtre, Antoñetta baptisa Antoine l'infortuné qui naquit dans la foulée. Le médecin invoqua une « mort subite », et on ne sut pas de quoi il était décédé.

En 1923, ce fut encore un fils. Antoine ? La tentation était forte. Elle en parla à son mari qui opta aussitôt pour Manuel. Mon père venait de naître.

Il y eut ensuite une dernière petite fille que sa mère baptisa Antoinette, espérant déjouer le sort, mais qui ne fit pas mentir la sinistre série, comme si durant une période Dieu ou le Diable avaient eu faim de ce prénom particulier.

34

Entre-temps, Juanico avait « attrapé » un cancer de la verge, ce qui éloigna son épouse de tout contact avec cette vilaine chose, même après qu'elle eut guéri, mettant un terme définitif à la malédiction.

Juanico se réveillait tous les matins à cinq heures. Il rentrait les barils de bière sur l'épaule, les casiers de bouteilles, organisait son bar. À huit heures, Antoñetta s'installait derrière le comptoir, et lui à une table, en terrasse, où il fumait les nouveaux cigarillos produits par la maison Bastos, payait le café aux copains qui venaient le rejoindre et lorgnait les jolies femmes derrière un journal dont il ne déchiffrait avec peine que les gros titres – contrairement à Antoñetta qui avait appris à lire en même temps que son fils aîné. À midi, l'anisette, à quinze heures, la sieste, à vingt heures la kémia, encore l'anisette, puis la belote avec Rebibo et deux autres copains juifs. À vingt et une heures, il se remettait au comptoir, tandis qu'Antoñetta allait s'occuper des enfants et se coucher.

Elle était incapable de dire à quelle heure il la rejoignait ni ce qu'il avait fait avant de fermer le bar, mais à cinq heures, il se dressait dans le lit comme un revenant, s'habillait et retournait à la tâche, content de son sort, en fredonnant le refrain d'un tango à la mode que l'orchestre argentin de la brasserie du Commerce jouait devant les Quatre Horloges, à l'heure de l'apéritif :

Tomo y obligo, mándese un trago;
De las mujeres mejor no hay que hablar,
Todas, amigo, dan muy mal pago
Y hoy mi experiencia lo puede afirmar[1].

35

Au fond du café, il y avait une cuisine. Antoñetta y passait le plus clair de son temps à préparer les délices contribuant à la renommée de l'endroit, les *cocas* aux poivrons et à la tomate, la chouchouka, les carottes au cumin, les sardines en escabèche, les *piquillos* à l'ail.

La salade de fèves piquantes, c'était une voisine, Remedio, qui en amenait tous les jours une marmite, la soubressade, la longanisse et les *morcillas* venaient de la charcuterie Cervera au marché couvert, quant à la *melsa*, la rate de bœuf farcie, c'était une spécialité de chez Bouazziz.

La cuisine donnait sur une pièce qui leur servait de salle à manger. Elle ouvrait sur une cour intérieure partagée avec la famille Galand, celle du maître pâtissier ; son échoppe jouxtait le bar. Non content de confectionner des saint-honoré dignes de Chiboust, leur créateur, Robert Galand avait inventé les « glaçons parisiens », ancêtres des bâtonnets de glace,

[1] « C'est ma tournée, mon gars, donne-nous à boire ; / Sur les femmes il vaut mieux la fermer, / Avec elles tu es sûr de te faire avoir, / C'est l'expérience qui me fait parler. »

qu'il distribuait en triporteur dans toute la ville. Au fond de cette même cour, un réduit abritait des toilettes à la turque dont la puanteur chronique livrait une bataille trop souvent victorieuse aux arômes de brioches et de pain chaud.

À l'étage, les Cortès disposaient de deux petites chambres, l'une pour le couple, l'autre pour leur progéniture.

36

De sa petite enfance dans pareil gourbi, Manuel ne se souviendrait que de trois choses : la première, c'est qu'il était blond, avec de longues boucles qui suscitaient l'admiration. Une incongruité qui m'a toujours paru plus difficile à admettre que de l'imaginer, bambin, en albinos ou en drag-queen.

Le deuxième souvenir était la silhouette de l'allumeur de réverbères sur la place Carnot, avec cette longue perche dont Manuel se demandait par quelle magie elle parvenait à enflammer chaque soir cette ribambelle de « rêves berbères » dans les lanternes.

Le troisième fut un hurlement qui l'amena soudain à la conscience d'être et en fit pour toujours un petit d'homme aux aguets.

Ce matin-là, Antoñetta avait fait une scène terrible à son mari, après l'avoir surpris en train de lutiner la bonne ; celle-ci s'était retrouvée dehors à la minute, renvoyée à coups de balai. Désespéré ou, plus simplement peut-être, humilié avec une acuité suffisante, Juanico n'avait rien trouvé de mieux que d'aller se pendre dans les cabinets. Monté sur un tabouret, il s'était fait un nœud autour du cou avec le cordon qui remplaçait depuis belle lurette la chaînette rouillée de la chasse d'eau, et d'un coup de pied avait largué les amarres. Sauf que le réservoir avait cédé sous son poids, et qu'il s'était écroulé, s'assommant à moitié sur la céramique souillée par toute la merde de l'immeuble. À ce vacarme, Antoñetta s'était précipitée.

—Ah ! (prolonger le cri, le doubler, puis le tripler comme celui de la Callas jouant Tosca au moment où elle constate que son Mario est mort, dans l'enregistrement de 1964) *Maldito sea !* Maudit sois-tu ! Mais pourquoi tu t'es pendu ! Et dans ton costume de mariage, salaud ! Sors de là, cochon, *marrano !*

37

Juanico Cortès avait survécu à son suicide. Dès le lendemain, il s'était remis à jouer à la belote et à fumer le cigare en buvant l'anisette avec ses copains. La même semaine, lorsque Mimoun, traqué par la police, s'était réfugié dans son bar, il l'avait accueilli sans dire un mot et caché dans la chambre des enfants, le temps nécessaire pour que l'Arabe se fasse oublier et puisse repartir sain et sauf. Mimoun avait ensuite réussi à s'enfuir au Maroc sans se faire pincer, et plus personne n'avait entendu parler de lui.

Encore une semaine, et Juanico s'était crevé un œil en remplissant un siphon d'eau de Seltz, la recharge lui ayant explosé à la figure.

Et ce fut tout.

— Mon père, avait résumé son fils Manuel un soir d'été à Carqueiranne, c'était rien : un joueur de cartes, un gros travailleur et un gros baiseur. Il trompait ma mère avec tout ce qui passait.

Voilà. Il n'y avait pas à faire de phrases : un cantinier borgne, affligé d'un cancer de la verge, qui une fois s'était pendu, moins par amour, sans doute, que par détestation de son épouse.

38

À serrer la corde du bateau, mes doigts se sont ankylosés. Je change de main. C'est étonnant comme je n'ai pas froid, ma veste de quart doit y être pour quelque chose. Je l'ai enfilée machinalement, ce matin, en la reconnaissant sous sa couche de poussière dans la penderie du garage. Elle date du temps où je participais encore à des régates, et j'avais choisi un bon modèle, en Gore-Tex, avec harnais et flottabilité intégrée. Au moins ne suis-je pas obligé de nager pour me maintenir à la surface.

L'aube commence à estomper la nuit. La mer a pris une teinte métallique, j'en distingue les ondulations sur plusieurs dizaines de mètres. Le moteur tourne au ralenti, les feux de route sont allumés, il y a bien un voilier qui va passer, on en croise toujours trois ou quatre qui se dirigent vers Porquerolles.

39

Un 24 décembre, ricane Heidegger, tu crois au père Noël ? Ni plaisanciers, ni pêcheurs : ils sont tous en famille à préparer le réveillon. Il n'y a que toi pour faire le mariol en pleine mer un jour pareil !

Il n'a pas tort. Même pas sûr que le ferry de Corse fonctionne aujourd'hui. Sans compter qu'il n'arrive que dans trois heures, ça risque de faire juste. L'eau doit être à douze ou treize degrés. Si je me souviens correctement de ce que j'ai lu un jour dans un manuel de survie, je devrais être mort d'hypothermie à peu près à ce moment-là. Mais, bon, c'est vrai que je n'ai pas très froid ; il est possible que l'eau soit encore à quinze degrés, et j'ai alors six heures devant moi, peut-être le double à condition de faire partie des cinquante pour cent de veinards qui résistent jusque-là.

Cette seule évocation m'a donné envie de pisser. Dans ma situation, je n'y vois pas d'inconvénient et j'urine aussitôt avec, entre mes jambes, une brève et intense sensation de chaleur que je voudrais pouvoir faire durer plus longtemps.

40

À quoi peut bien ressembler un cancer de la verge ? Ou plutôt : à quoi ressemblait la verge de mon grand-père au moment où Antoñetta prit ce prétexte pour ne plus s'en approcher ? Les images horribles qui se forment dans mon esprit lui donnent raison, j'en ressens une sorte d'élancement aux testicules. Il a guéri, pourtant, et couché avec d'autres femmes que son engin ne dégoûtait pas.

« Un joueur de cartes, un gros baiseur, un gros travailleur. » Dieu sait par quelle formule lapidaire mes propres enfants résumeront mon existence une fois que j'aurai quitté ce monde ! Telle quelle – et même réduite à ses deux premières parties –, semblable épitaphe ne s'applique-t-elle pas à tous les hommes ? N'est-ce pas déjà le sens de cette inscription gravée au couteau, il y a vingt siècles, sur le forum de Timgad : *Venari, lavari, ludere, ridere, occ est vivere*, « Chasser, prendre des bains, jouer, rire, ça c'est vivre ! ». Un idéal de Romain plutôt que l'abrégé d'une vie médiocre.

Je l'ai connu, cet homme. Une photo aux bords dentelés me montre dans ses bras, devant le comptoir du bar. Il a l'air attendri, et j'ouvre de grands yeux ronds, ceux d'un lémurien paralysé par le flash du photographe. Je dois avoir deux ans, et Juanico est déjà vieux, cheveux et moustache grisonnants, avec un pantalon tiré trop haut par des bretelles sur une chemise blanche. Impossible d'imaginer sa verge, ni qu'il s'est pendu, ni même de le visualiser enfant sur la carriole de son père. Sans cette photo, et l'étonnement juvénile de ne l'avoir jamais entendu s'exprimer qu'en espagnol, je ne me souviendrais de lui que sur son lit de mort, dix ans plus tard, lorsque mon père m'avait forcé à l'embrasser. Avec son teint cireux et la serviette nouée qui lui maintenait la mâchoire, il ressemblait à Léon Blum après son lynchage par les Camelots du roi.

Était-ce lui l'archétype du « vrai » pied-noir ou mon père pensait-il à quelqu'un d'autre ? À sa propre existence ? À un condensé de vies marquées par l'expatriation ?

41

Je peux t'aider ? propose Heidegger. Souviens-toi de la méthode des auxiliaires dans *Tristram Shandy* : être, avoir, faire, devoir, vouloir, pouvoir, etc. On conjugue ces verbes à tous les temps, on leur ajoute des questions simples, puis négatives, chronologiques, hypothétiques, et l'intellect se met en mouvement sur n'importe quel sujet. Un vrai pied-noir ? très bien. En ai-je déjà vu ? puis-je en avoir croisé au cours de mon existence ? me sera-t-il donné d'en rencontrer un jour ? Que n'ai-je vu un vrai pied-noir ! Quelle idée suis-je capable de m'en faire ? Et si je vois jamais un vrai pied-noir, que dirai-je ? et que dirai-je si je n'en vois pas ? Si je n'ai jamais vu de vrai pied-noir, et que je ne puisse ni ne doive jamais en voir, en ai-je vu au moins une photo ? en ai-je vu le portrait, la description ? en ai-je jamais rêvé ? Mon père, ma mère, mon oncle, ma tante, mes frères ou mes sœurs, ont-ils jamais vu un vrai pied-noir ? qu'auraient-ils donné pour en voir un ? qu'auraient-ils fait s'ils l'avaient vu ?

qu'aurait fait le vrai pied-noir ? Est-il agressif, aimable, intelligent, stupide, comique, tendre, progressiste, réactionnaire ? Est-ce uniquement un gros travailleur ? Un gros baiseur ? Les deux ? Un vrai pied-noir mérite-t-il d'être rencontré ? Le reconnaîtrais-je si je me trouvais face à lui ? Un vrai pied-noir existe-t-il encore ? Y en a-t-il jamais eu un seul de par le monde ? Un vrai pied-noir vaut-il mieux qu'un faux ? Pourquoi faudrait-il se lamenter de ne pas appartenir à cette catégorie ? N'y aurait-il pas, au contraire, à s'en féliciter ?

42

L'exercice m'a embrouillé les idées. Mieux vaudrait commencer par la question « qu'est-ce qu'un pied-noir ? », avant d'espérer distinguer le « vrai » du « faux ». Ou plutôt, le « bon » du « mauvais », comme dans l'expression « mauvais Français » employée par le régime de Vichy, car je sens bien que c'est cette distinction-là qui est en jeu, avec ce qu'elle véhicule de traîtrise supposée.

Le problème est d'autant plus complexe que pas un seul des Européens qui ont peuplé l'Algérie ne s'est jamais nommé ainsi. Il faut attendre les derniers mois de la guerre d'indépendance pour que le terme apparaisse, d'abord en France pour stigmatiser l'attitude des colons face aux indigènes, puis comme étendard de détresse pour les rapatriés. Il en va des pieds-noirs comme des Byzantins, ils n'ont existé en tant que tels qu'une fois leur monde disparu.

43

Le ciel s'est encore éclairci. Quelques mouettes tournoient au-dessus du bateau, attirées par les sardines qui décongèlent sur le pont. Je me suis mis à nageoter pour résister à l'engourdissement. C'est trop bête de ne pas arriver à remonter sur cette fichue barcasse ! Peut-être en prenant appui sur l'hélice ? J'y mets durant cinq minutes toute mon énergie avant de renoncer. Cet effort m'a réchauffé un peu, mais j'en paye le prix : une fringale me tord l'estomac. Je m'en veux de ne pas avoir mangé quelque chose avant de partir.

Le plus jeune de mes garçons a dû se réveiller, je l'imagine en train de faire son choix devant la grande desserte où sont exposées les friandises de Noël. *Mantecaos*, *rollicos* à l'anis, cigares au vin blanc, oreillettes, il y en a des empilements que ma mère prépare à l'avance pour notre venue. Elle jure chaque année que c'est la dernière fois, ce travail la fatigue trop, elle est trop vieille, l'an prochain ce sera notre tour de prendre la relève, et au Noël suivant, voilà qu'elle s'y remet, sans qu'on sache si elle a oublié son serment ou si elle s'en dégage en toute conscience de mère poule. Autour de ces quatre montagnes traditionnelles, elle dispose un paysage de douceurs :

des assiettes de fruits confits, de la pâte de coing, du *turrón* dur et du nougat tendre de Jijona, des loukoums, des dattes, des figues sèches, quelques marrons glacés et des escargots en chocolat. *Caracoles*, on n'y échappe pas. Ni aux crises de foie qui nous mettent à la diète les uns après les autres dès le 25 décembre.

Une mouette vient de pousser un cri strident. À Bel-Abbès – que je vois soudain construite tout entière de massepain et de biscuits – un gosse entend hurler sa mère parce qu'en tentant de mourir le père de ses enfants a gâché son seul habit.

A Biscuit-ville

44

Des cris de femmes, à Biscuit-ville, il y en avait eu d'autres bien des années auparavant, et de plus désespérés.

En juin 1843, un bataillon du 1er régiment étranger fit halte sur la rive droite de la Mekerra, au sud-est des montagnes du Tessala, près d'une humble koubba dédiée à Sidi Bel-Abbès, un saint prêcheur enterré là. Idéalement placé pour surveiller le territoire des Beni Ameur, confédération regroupant les Amarnas, les Hazedj et les Ouled Brahim, l'endroit avait été choisi pour y construire un poste fortifié.

Deux ans s'écoulèrent sans incident notable, mais un 15 janvier 1845 le commandant Vinois quitta les lieux avec deux escadrons de spahis pour aller châtier un douar qui baroudait contre une des tribus ralliées à l'armée française ; par deux fois, le caïd des Ouled Brahim était venu en personne l'adjurer d'intervenir. Ne restaient dans le fortin qu'une garnison de soixante hommes, et dans un camp retranché attenant, un bataillon du 6e léger fort de quatre cent cinquante soldats. Peu après le départ des troupes, une soixantaine d'Arabes déguenillés se présentent aux portes de la redoute. Ils sont précédés de quelques enfants et chantent une étrange mélopée aux accents d'hymne religieux. Qui vive ? À la demande de la sentinelle, ils donnent le mot de passe. Des traîne-misère, sans doute, des pèlerins venus mendier un peu de farine. On les laisse entrer en refermant les portes derrière eux. Les soldats présents raillent leurs chants, ridiculisent, pipe au bec, les intonations gutturales de cette langue de sauvages qu'ils ne comprennent pas. Un factionnaire s'avance, gouaillant lui aussi, mais le vieil Arabe à qui il s'adresse, sorti tout droit de l'antiquité biblique, lui fracasse le crâne de son bâton. Les autres hommes de la bande dévoilent aussitôt les armes cachées sous leurs burnous, et voici qu'ils tirent au fusil et au pistolet sur tout ce qui bouge. Un sous-officier de spahis et un caporal du bataillon des ouvriers d'administration sont tués à bout portant. Fusillade générale, les soldats français répliquent, se retranchent, tirent dans le tas, y compris au canon. Lorsque les Arabes qui ont survécu à ce premier affrontement tentent de s'échapper, le 6e léger leur ferme la retraite. En moins de dix minutes, écrira le correspondant du *Messager,* ce combat à outrance fut terminé. « Les conjurés étaient entrés au nombre de 58 dans la redoute, le nombre des cadavres était de 58. » Côté français, onze morts et huit blessés, dont un officier de spahis, Mohamed, qui reçut un coup de pique dans les muscles de la poitrine. Alerté par le bruit de la canonnade, le commandant Vinois revint sur ses pas et se chargea du reste. Il enleva sans effort – « car on ne lui opposait aucune résistance » – les trois douars situés aux alentours de la redoute, et « compta parmi son butin les 58 femmes des fanatiques qui étaient venus mourir si follement à Bel-Abbès ».

On a dit ensuite que ces hommes avaient été galvanisés par un marabout de Fez, arrivé récemment, un prédicateur qui les aurait convaincus de chasser les chrétiens de la terre d'Islam, rendus invincibles par la force magique du Coran. Des fous, des illuminés, conclut *Le Messager*.

45

Accusés d'avoir organisé en sous-main l'attaque de la redoute, les Ouled Brahim furent sévèrement razziés par les troupes françaises. Privés de leurs chevaux et de leur cheptel, ils émigrèrent au Maroc dans des conditions effroyables, bientôt rejoints, sur le conseil de l'émir Abd el-Kader, par toutes les tribus des Beni Ameur. Jugées indésirables par le sultan, ces populations furent d'abord assignées à résidence, puis contraintes par une armée de quinze mille hommes à retourner en Oranie. Le malheur de l'iniquité s'ajoutant à celui de l'exil, ce fut pour constater que leur territoire d'origine avait été confisqué par l'État français. Rentrés chez eux plus d'un an après leur départ, les Beni Ameur furent réduits à l'état de serfs sur leurs propres terres ; ils ne survécurent ensuite qu'en se louant aux premiers colons et à l'armée pour le défrichement et les travaux agricoles.

Responsables involontaires de ce bouleversement, les cinquante-huit « fanatiques » qui avaient tenté de s'emparer de Biscuit-ville furent ensevelis au pied d'un arbre dit le « peuplier d'Abd el-Kader », sur un tertre boisé situé aux environs de la redoute.

46

Les cris de leurs épouses, de leurs mères, folles de douleur devant la terre fraîchement remuée, je les entends maintenant et pour toujours au-dessus de moi.

Créé en 1847, le centre-ville de Sidi-Bel-Abbès avait absorbé cette nécropole anonyme au cœur d'un vaste jardin public de six hectares. On y planta toutes sortes d'espèces botaniques, on l'agrémenta de grandes allées, d'un théâtre de verdure, de statues dans le goût de l'époque – un « Orphée expirant », une « chute d'Icare », une « caresse du faune » dont le côté suggestif rougissait le cou des jeunes filles – et on oublia jusqu'à l'emplacement exact des sépultures.

47

Manuel Cortès n'avait jamais rien su de ce terreau de haine dont s'était nourri son monde. Ni son père ni le père de son père. Conçue et bâtie par la Légion étrangère, protégée ensuite de toute révolte par la présence massive des militaires, la ville se développa rapidement, à l'image des camps romains qu'elle imitait dans son tracé.

Derrière une enceinte de trois cent cinquante mètres sur huit cents, orientée nord-sud et prolongée par un glacis, le capitaine du génie Eugène Prudon avait établi un quadrillage de rues perpendiculaires déterminant des îlots d'habitation de vingt-cinq mètres sur dix, il y avait aménagé un forum : la place des Quinconces, future place Carnot ; un *prætorium :* la sous-préfecture ; deux temples : l'église Saint-Vincent et la synagogue ; une curie : l'hôtel de ville ; un tribunal, une école, une gendarmerie avec sa prison, un théâtre et des casernements bien séparés. Achevée en 1857, Sidi-Bel-Abbès déborda presque aussitôt sur ses faubourgs et continua de s'étendre au-delà des remparts. Prévue pour trois mille habitants, elle en compte six mille en 1859, vingt-sept mille en 1898, et plus de cinquante mille en 1933, au moment où Manuel s'apprête à quitter la communale. La ville possède alors une gare, un aérodrome, des arènes pour la corrida, plusieurs collèges et lycées, une piscine réservée aux légionnaires et à leurs familles ; l'enceinte initiale a disparu, le théâtre a été reconstruit dans le style Art nouveau. Cent ans ont passé : Bugeaud, Bedeau, Pélissier, Négrier... tous les généraux de la conquête n'y sont désormais que des noms de rues ou de boulevards.

48

Ce fut l'année où la mère de Manuel décida qu'il passerait le concours de bourse ; comme il fallait être français pour en bénéficier, elle lui fit abandonner la nationalité espagnole de façon anticipée. Il aurait pu attendre ses vingt et un ans pour décider lui-même, mais la bourse avait plus d'importance que cette latitude : Antoñetta ne lui laissa pas le choix. Ils s'étaient donc rendus chez le juge Séguinard, et Manuel avait signé un tas de papiers auxquels il ne comprenait rien. Tout ça pour le mettre en pension à Oran ! Interne à l'école des Sœurs trinitaires, alors que ses frères, tous plus âgés que lui, étaient scolarisés à Bel-Abbès ! À la première messe, il avait pleuré durant tout l'office : ses parents s'étaient débarrassés de lui. Aujourd'hui encore il se demandait pourquoi.

Au pensionnat d'Oran, tout en haut de la rampe Rognon qui dominait la rade, la seule personne qui venait le voir, c'était sa tante ; une sœur d'Antoñetta, qui habitait à quarante kilomètres de là. Sa mère, elle, ne faisait cet effort qu'une fois tous les trois ou quatre mois, pour le sortir la journée. Avant même de lui dire bonjour, elle s'empressait de lui laver les oreilles avec de l'eau de Cologne, comme pour le décontaminer. Un jour que ce geste lui pesait plus que de coutume, Manuel trouva judicieux de placer l'exclamation favorite de sœur Inès lorsqu'elle s'agaçait de l'ignorance de ses élèves :

— Ah, *Santa Maria de los cojones !*

Suivit une *bofetá* monumentale : il avait confondu les testicules, *los cojones*, avec les lapins, *los conejos,* symboles de la pureté de la Vierge...

Sainte Marie des roustons, ça faisait sens pourtant ; plus que sainte Marie des lapins !

49

Au collège, il avait pour amis le fils Raoux, dont le père était un riche de Bel-Abbès, Lomé, l'enfant d'un « gros colon », et Sananès, son préféré, le fils d'un rabbin. De retour chez eux pour les vacances, ils continuaient à se fréquenter, souvent dans le bar de Juanico. Un après-midi qu'ils jouaient aux cartes, le père Raoux était passé boire un coup et en avait profité pour faire honte à son fils devant tout le monde :

— Rendez-vous compte, Manuel est premier de la classe, alors que son père ni il sait lire ni même il parle français ! Et le mien, c'est juste un bon à rien !

Juanico avait continué à astiquer son comptoir en souriant niaisement, sans comprendre, et c'est Manuel qui avait perdu la face.

Les vacances se passaient à jouer au pitchak dans l'arrière-cour, à construire des barrages de pierres et de branchages sur le lit presque asséché de la Mekerra afin de ménager les trous d'eau nécessaires à la baignade, et les jours fastes – c'était le fils Raoux qui payait – à aller au cinéma. Au Palmarium où ils se rendaient, avenue Kléber, ils avaient ingurgité *Les Révoltés du Bounty*, *Les Temps modernes*, *Les Trois Lanciers du Bengale*, *La Malle de Singapour*, *Une nuit à l'opéra*, et surtout un tas de westerns et de navets comme *Bibi-la-Purée* ou *Un de la Légion*, avec Fernandel, tourné en partie à Bel-Abbès. Pendant la séance du dernier film à l'affiche, le *Golgotha* de Duvivier, ils avaient tellement chahuté que Moktar, le gardien, les avait expulsés de la salle en les menaçant de sa matraque.

50

En ce même mois d'août, Manuel était à table chez ses parents, avec Sananès, lorsqu'on vint avertir Juanico qu'il y avait eu une flambée de violence antijuive dans le centre-ville. Placardées durant la nuit, des centaines d'affiches accusaient les Juifs d'être à la fois les instigateurs de la crise économique et les seuls à en profiter. Ces libelles se terminaient par le cri de *Abajo los judíos !* et *Mueran los judíos*[1] *!* Avec une

[1] « À bas les Juifs ! Mort aux Juifs ! »

coïncidence suspecte, des groupes d'Espagnols secondés par nombre d'indigènes s'en étaient pris aux Juifs un peu partout. Il y avait eu de graves échauffourées, des coups de feu de part et d'autre, avant que la gendarmerie et la Légion ne réussissent à rétablir l'ordre. On ne déplorait que des blessés, mais tous les magasins de la grand-rue, tenus par des Sépharades pratiquants, avaient été pillés et saccagés.

Juanico n'avait jamais caché ses opinions antisémites ; il parlait inlassablement d'Isabelle la Catholique pour rappeler qu'elle avait foutu les Juifs hors d'Espagne et soutenir qu'il fallait faire pareil en Algérie, mais il s'était indigné violemment qu'on ait cassé les vitres de ses copains.

51

À Bel-Abbès, à cette période, c'était cela : Juifs ou antijuifs, il n'y avait pas de politique. On ne votait pas pour un parti, on votait pour ou contre Alfred Lisbonne, le maire juif de la ville jusqu'en 1929. Le prétendant antijuif qui avait pris la suite, et la conserverait jusqu'en 1941, s'enfonçant corps et âme dans la collaboration, s'appelait Lucien Bellat. Toute sa jeunesse, Manuel n'avait entendu que ces sinistres bêtises : Juif ou antijuif, Lisbonne ou Bellat. Beaucoup plus tard, il comprit qu'il avait assisté à un pogrom, le troisième en peu de temps ; celui de Constantine, l'année précédente, avait fait vingt-trois morts et soixante blessés.

Dans le bar de son père, c'étaient les antijuifs qui se réunissaient. Juanico n'ayant que des amis juifs, Manuel n'avait jamais compris comment c'était possible. Souki, Rebibo, le père Sananès : Juanico faisait chaque soir sa belote avec des Juifs. Tous les jours ! Après le pogrom, quand Rebibo s'était trouvé ruiné par la destruction de son magasin, Juanico avait ordonné à Antoñetta de cuisiner en double, et tous les jours, matin et soir durant un an, il y eut un gamin de chez eux pour apporter le repas à leurs voisins.

Un homme fruste, Juanico, analphabète. Aucune conscience de classe. Il n'avait jamais su remplir une feuille d'impôts, ne s'était jamais occupé des devoirs de ses enfants. Travail et femmes, de là, on ne le sortait pas, sauf pour encenser Isabelle la Catholique, alors qu'il ne connaissait rien à rien, et pas même quoi que ce fût à l'histoire de la *Reconquista*[1].

52

Les premiers livres qui étaient arrivés chez eux, c'est Manuel qui les avait apportés, des romans de Delly et de Max du Veuzit. Antoñetta ne les avait jamais lus. Ni ses frères ni sa sœur, d'ailleurs. François, par exemple, était un très mauvais élève. Il n'avait pas

[1] La reconquête de l'Espagne par les royaumes chrétiens, du IXe au XVe siècle.

eu le bac. Ce sur quoi sa mère s'était démenée pour le faire entrer dans une école de commerce, et il avait eu la chance extraordinaire d'intégrer HEC sans le bac, et sans concours ! Son frère Jean, même chose. Ayant raté son examen à Bel-Abbès, Antoñetta s'était saignée pour l'envoyer dans un lycée d'Alger où il avait fini par l'obtenir. Sa sœur était allée à Fénelon, jusqu'au brevet seulement. C'était le maximum pour les filles.

En 1936, le plus jeune des Cortès entra enfin au lycée Lamoricière. Planté en bord de mer, avec son cloître à galerie – la cour Ballongue –, ses arcades bicolores brun-rouge et ocre jaune, son immense réfectoire orné de corniches à volutes monumentales, l'édifice bordé de palmiers ressemblait à un palais oriental. L'établissement accueillait alors plus de mille cinq cents internes, dont quelques dizaines de musulmans qui figuraient tous parmi les meilleurs élèves. Malgré ses treize ans, Manuel s'y passionna pour le Front populaire et la guerre d'Espagne, lisant tout ce qui lui tombait sous la main à propos de ces bouleversements.

53

Faute d'argent, c'était surtout à Bel-Abbès, pendant les vacances scolaires, qu'il pouvait satisfaire cet appétit. Mabrouk, un Noir musulman qui faisait le taxi vers Bedeau, à quarante kilomètres de la ville, s'était lancé dans la vente de journaux pour augmenter ses revenus. Il installait son étal sur le trottoir, devant le bar de Juanico, et s'asseyait à une table en attendant que ses passagers reviennent. Par sympathie envers Manuel, il le laissait lire gratuitement tous les titres qu'il proposait. Les hebdomadaires d'extrême droite, ceux que Mabrouk n'avait aucun mal à écouler : *Gringoire*, *Candide*, *L'Action française*, *Je suis partout*, *L'Émancipation nationale*, mais surtout ceux de gauche, *L'Humanité*, *Vendredi* ou *Marianne*, qui soutenaient Léon Blum et les Républicains espagnols. Mabrouk étant de l'autre bord, il vendait aussi des cartes postales « magiques » : on fixait deux minutes la silhouette méconnaissable qui s'y trouvait, puis en regardant le ciel, on voyait apparaître, auréolé de lumière, le visage de Franco. Ça avait un succès fou. Le même Mabrouk faisait régulièrement des collectes pour la junte nationaliste, et tout le monde donnait, les Français comme les Espagnols. Pour Franco, pour Franco... Et Manuel serrait les poings.

À force de boire des coups en vendant ses journaux, Mabrouk repartait ivre mort, mais aucun de ses passagers ne s'en offusquait ; il conduisait très bien et n'eut jamais un accident.

54

En Algérie, comme ailleurs, le fascisme avait réussi à scinder la population en deux camps farouchement opposés. Les antijuifs d'autrefois adhéraient maintenant aux Croix-de-Feu du colonel de La Rocque, au Parti populaire français de Jacques Doriot, reprenant à leur compte les invectives de Maurras, de Henri Béraud, de Brasillach. Plus nombreux à Alger qu'à Paris, leurs partisans défilaient en uniforme et au pas cadencé. À la tête des Amitiés latines, le maire d'Oran, l'abbé Lambert, pratiquait le salut fasciste et prônait, coiffé d'un casque colonial, une alliance antisémite des peuples méditerranéens. Il s'était même rendu en Espagne pour faire allégeance à Franco. Lucien Bellat, le maire de Sidi-Bel-Abbès, et son fils Paul présidaient la Ligue d'union latine avec les mêmes objectifs. Non content d'avoir rayé plusieurs centaines de Juifs des listes électorales de sa commune, Bellat soutenait les exactions des milices antisémites de sa ville. *Le Petit Oranais*, journal destiné « à tous les aryens de l'Europe et de l'univers », venait d'être condamné par lestribunaux à retirer sa manchette permanente depuis 1930, un appel au meurtre inspiré de Martin Luther : « Il faut mettre le soufre, la poix, et s'il se peut le feu de l'enfer aux synagogues et aux écoles juives, détruire les maisons des Juifs, s'emparer de leurs capitaux et les chasser en pleine campagne comme des chiens enragés. » On remplaça sans problème cette diatribe par une simple croix gammée, et le journal augmenta ses ventes.

En minorité dans le pays, les formations de gauche, Parti communiste en tête, ne représentaient guère qu'un quart des électeurs. Quant à la population arabe, celle du moins qui avait accédé à une certaine conscience politique, elle hésitait à part égale entre l'espoir d'une réforme du statut d'indigène représenté par le Front populaire et la propagande fasciste qui lui promettait la défaite du colonialisme juif et franc-maçon.

Parce qu'il était pour Isabelle la Catholique, Juanico était bien sûr contre Léon Blum, mais sans cesser de nettoyer ses verres et sans comprendre rien à ce qui se jouait de terriblement nouveau devant son œil valide.

55

J'ai cette chance insigne de pouvoir raconter la vie de mon père alors qu'il est encore de ce monde, mais la mémoire est telle, et si sélective dans ses choix, que je sais aujourd'hui des choses qu'il ne sait pas lui-même. Ainsi le pâtissier Galand – Roberto Galando, qui avait francisé son nom pour camoufler ses origines italiennes – soutenait-il Paul Bellat et sa croisade d'excitation à la violence et au meurtre des Juifs. Il était surveillé discrètement par la police, de même que le grossiste en cartes postales auprès duquel s'approvisionnait Mabrouk, un Espagnol de Melilla qui inondait l'Oranie de photos à la gloire de Franco, d'Hitler et de Mussolini.

Les incidents se multipliaient. Le 25 février 1937,

à Sidi-Bel-Abbès, une altercation entre vendeurs de *L'Humanité* et de *L'Émancipation nationale* dégénéra, se soldant par la mort de deux hommes, dont l'un, le secrétaire local du PC, exécuté d'une balle dans la nuque.

Quand il se rendait au domicile de ses parents, Manuel avait l'impression d'arriver chez les fous. Sans appartenir à aucun mouvement, il n'avait pas fait mystère de ses sympathies communistes, ce qui lui valait d'être désormais l'enfant perdu de la famille. Personne ne comprenait qu'il pût soutenir le Front populaire. Ses frères, surtout, le considéraient comme une vraie brebis galeuse, un traître à leurs origines. Juanico ne disait rien, mais tout dans son comportement montrait que Manuel était une mauvaise graine qu'on aurait dû appeler Antoine.

À sa décharge, il n'avait jamais fait de différence entre ses garçons – sa fille ne comptait pas : c'était une fille –, quand bien même il eût peut-être une préférence pour Jean, parce qu'il était bagarreur comme lui, un peu *tarambana,* et des années plus tard, pour son socialo de fils, lorsque ce dernier se mit à courir le jupon et commença, selon ses critères, à lui ressembler.

56

En 1938, le Parti populaire français triompha partout en Algérie après une campagne sur le thème de l'antisémitisme et de l'abrogation du décret Crémieux.

La même année, Lucien Bellat et son fils inaugurèrent à Sidi-Bel-Abbès la « fête de la race » où l'on exposa une grande photographie du Caudillo dédicacée aux Espagnols d'Afrique du Nord. En août de l'année suivante, le maire se rendit en Espagne pour féliciter Franco de sa victoire contre les Républicains. Et en septembre 1939, au moment où la France et l'Angleterre déclaraient la guerre à l'Allemagne, Manuel entra en terminale.

À peine quelques mois auparavant, il avait suivi la chute de Teruel, les accords de Munich, et vécu l'explosion du Front populaire comme un drame personnel, une catastrophe dont il pressentait les conséquences sans être capable d'une vision claire sur ces événements. André Bénichou, son professeur de philosophie durant cette année-là, se fit fort de lui remettre les idées en place. Foncièrement de gauche, presque anarchiste, grand connaisseur de Marcel Proust, cet homme remarquable déniaisa ses élèves avec brio. Non content de leur dévoiler les mystères de la pensée grecque, il suivait la guerre au jour le jour et décortiquait avec eux les fondements idéologiques du nazisme qui ensanglantait l'Europe. Ce fut une révélation. Avant même la fin des cours, Manuel décida qu'après son bac il s'inscrirait en philosophie.

En juin 1940, à l'annonce du discours de Pétain déclarant qu'il avait signé l'armistice avec les Allemands et faisait « à la France le don de sa personne », l'élève Cortès cracha de rage par la fenêtre ; le hasard voulut que le crâne du censeur, Barabas, surnommé ainsi à cause de sa barbe à la Landru, se trouvât juste en-dessous : renvoyé huit jours ! Il n'avait dû qu'à son prix d'excellence durant toute l'année d'être admis à passer son bac.

Après l'examen, Manuel était rentré à Bel-Abbès pour attendre les résultats. Le jour dit, il avait acheté *L'Écho d'Oran* et bondi de joie en apercevant son nom sur la bonne liste.

Il courut annoncer la nouvelle à sa mère : reçu à dix-sept ans, quand la moyenne d'âge des bacheliers se situait aux alentours des vingt et un !

—Avec mention ? avait-demandé Antoñetta.

Comme il répondait par la négative, elle lui avait tourné le dos.

La vilaine mâchoire d'Isabelle la Catholique

58

J'ai eu mon bac au même âge, et avec mention, mais on ne l'a pas fêté non plus.

— Nul n'a envisagé une seconde que tu puisses échouer, s'était contenté de dire mon père, sans s'apercevoir que sa confiance inflexible, et ce qu'elle impliquait d'exigence et de devoir filial, m'infligeait une blessure semblable à celle qu'il avait reçue.

Mais bon. Cela ne m'a pas pris la tête autant que je le laisse supposer. Moins que dans d'autres circonstances où je me suis disputé avec lui uniquement parce que quelque chose au fond de moi certifiait qu'il avait raison.

59

Le pitchak, c'était le ballon des pauvres. J'y ai joué moi aussi. Il fallait trouver une moitié de vieille chambre à air de vélo – pas si facile, mais Filio, le marchand de cycles de la rue Chabrière, nous en donnait une de temps en temps – puis la tailler en rondelles avec une paire de ciseaux, avant de les enfiler sur une ficelle comme pour un collier. En serrant au maximum, on obtenait une sorte de pelote souple qui permettait de jongler au pied, seul ou avec d'autres, en essayant de la maintenir en l'air le plus longtemps possible. Mes cousins ou les petits Arabes avec qui nous jouions au faubourg Thiers transformaient cette chose en une balle capable de virevolter jusqu'à une demi-heure sans toucher terre. Moi, j'ai eu beau m'exercer en secret, je n'ai jamais réussi à taper dedans plus de deux fois de suite. Je préférais m'asseoir dans un recoin de la cour et m'occuper à la fabrication d'une lanterne magique – je disais « cinéma » – qui absorbait toute mon existence. J'avais imaginé de découper le fond d'une boîte à chaussures en forme d'écran et d'établir à l'intérieur deux bouts de bois dont les extrémités permettaient de faire défiler un long rouleau constitué de mes bandes dessinées préférées. Cela m'a pris un temps infini, et je me souviens parfaitement du bruit mat du pitchak sur les pieds nus, des cris d'enfants qui l'accompagnaient, de l'odeur entêtante, mélange de pissat et de grésil auquel s'ajoutait l'humidité funéraire d'un lavoir proche où l'eau suintait parmi des mousses et des filasses d'algues gluantes. Avec un peu d'eau et de farine chipée à la maison, j'assemblais les meilleures pages de mes fascicules d'*Akim* décortiqués, veillant au séchage et à la solidité des raccords, les enroulant au fur et à mesure autour de ma baguette. Quand ce fut terminé, j'organisai une projection dans le recoin le plus sombre du lavoir. Devant tous les enfants à plat ventre, j'allumai une pile Wonder derrière ma torah enfin déployée et je fis défiler pour eux mon précieux feuilleton, lisant à haute voix les dialogues, agrémentant de cris de singe ou de rugissements plus vrais que nature les péripéties de l'histoire. Ce fut mon quart d'heure de gloire et ma première débâcle. J'en étais à décrire comment le jeune Akim voyait sa mère dévorée par une panthère, lorsqu'un des fennecs qui assistaient au spectacle dressa les oreilles et s'accroupit. On entendit une plainte lugubre qui venait de derrière le lavoir : c'était Zorra la folle qui approchait. Une vieille Arabe au visage tatoué dont nous ne savions rien, sinon qu'elle était veuve, et nous pourchassait de ses aboiements et de sa badine chaque fois qu'elle nous voyait. Une sorte de loup-garou qui nous éparpilla vers nos demeures respectives. Quand nous eûmes le courage de retourner près du lavoir, mon « cinéma » avait disparu, et avec lui tout espoir de briller à nouveau devant mes camarades de rue.

60

Je suis pris d'un long frisson, qui tient à mon séjour dans l'eau froide autant qu'à ce dont je me souviens. Toujours pas de bateau en vue. La mer, le ciel blanc et les mouettes en grappes, de plus en plus nombreuses, qui se passent le mot à propos de mes sardines.

Je repense à Bel-Abbès, à son plan inspiré du *castrum* de Lambèse, à ce jardin public où j'allais jouer, enfant, dans ma Dauphine à pédales, sans me douter que je parcourais les allées d'un cimetière occulte où fermentait l'humus de toutes les exactions passées, de toutes les vengeances à venir.

Quand je lui ai rapporté l'histoire de la redoute, mon père s'est contenté de hausser les épaules : Ces choses étaient pour nous aussi vieilles que l'histoire du monde. Réfléchis un peu, un siècle ! Plus personne ne se souvenait de ça, même pas les Arabes. Qu'est-ce que tu aurais dit en 1970, à la Sorbonne, si quelqu'un était venu te reprocher les massacres de la Commune ?

61

Pour une étude sur le patrimoine archéologique de l'Algérie, et sans doute, je m'en aperçois maintenant, à cause de ce contact invisible avec le cœur sacrificiel de ma ville natale, j'ai lu nombre de récits, de rapports, de carnets de route rédigés par les militaires français qui ont mené la conquête du pays. Contre toute attente, j'en ai tiré une sorte de respect pour ces soldats d'un âge révolu. Ils sont racistes, certes, mais comme la grande majorité de leurs contemporains ; cruels, bien sûr, mais autant que n'importe qui lorsque le fiel de la guerre nous dévore ; obtus, souvent ; imbéciles, parfois ; imbus d'eux-mêmes, presque toujours, mais jamais ou très rarement déloyaux. Ils ont été les seuls à voir la réalité en face et à prendre la mesure de la résistance berbère. Bugeaud l'a clamé sur tous les tons sans être entendu : « Il n'est pas dans la nature d'un peuple guerrier, fanatique et constitué comme le sont les Arabes, de se résigner en peu de temps à la domination chrétienne. Les indigènes chercheront souvent à secouer le joug, comme ils l'ont fait sous tous les conquérants qui nous ont précédés. Leur antipathie pour nous et notre religion durera des siècles. »

62

Quand il fallut obéir à Louis-Philippe et mener la guerre jusqu'à son terme, Bugeaud avait mis ses réticences de côté et s'était glissé dans la peau d'un général romain.

Tous les officiers d'alors sont des lettrés connaissant les moindres détails des conquêtes impériales en Afrique du Nord. Ils lisent couramment le latin, savent leur Salluste sur le bout des doigts, s'émerveillent à chaque pas de ce que leur progression calque à ce point celle des légions romaines. Les postes français sont édifiés sur le réseau même des fortins antiques, non par mimétisme, mais par nécessité : confrontés à la même géographie, à la même guérilla berbère, les Romains avaient trouvé chaque fois la meilleure des réponses stratégiques, le tertre le mieux à même de surveiller une contrée, les points d'eau, les passages les plus appropriés. En 1852, on ira jusqu'à fournir au soldat de base un *Manuel algérien* contenant des traductions de Tacite, d'Ammien Marcellin ou de Procope afin qu'ils puissent prendre exemple sur « la constance et la ténacité prudente des Romains dans la conquête de l'Afrique ».

C'est donc munis de sources latines comme seul viatique que Bugeaud, Carbuccia, Saint-Arnaud et leurs armées s'avancent en terre inconnue et retrouvent un à un, par une logique imparable, les campements de la IIIe Légion Auguste qui les a devancés dix-huit siècles plus tôt. Tous se passionnent pour les traces de ce glorieux passé. Alors même que la guerre bat son plein, on cartographie les vestiges des cités romaines, on relève les inscriptions, on sauvegarde ce qui peut l'être. L'expédition d'Égypte n'est pas si lointaine que l'on ne puisse s'en inspirer. « J'aurais pu construire une ville, écrivait le colonel Carbuccia dans son journal de campagne. J'avais dans mon régiment des architectes, des ingénieurs, des artistes. Quand j'avais besoin d'un savant, d'un écrivain ou d'un peintre, je demandais par la voie de l'ordre, et le lendemain matin les sergents-majors m'apportaient dix noms au lieu d'un. » Lors de son arrivée sur le site antique de Lambèse, le même Carbuccia découvre le mausolée en ruine du préfet

Flavius Maximus. Il ordonne à ses ingénieurs de le restaurer, défile avec ses troupes devant le tombeau et fait rendre les honneurs militaires à celui qu'il considère comme un frère d'armes ! Durant cette période, on essayera même de stabiliser la conquête par l'installation de « soldats laboureurs », à l'instar de ce qu'avait imaginé l'empereur Septime Sévère pour contrôler le *limes* nord-africain.

Quant aux méthodes de guerre de Bugeaud – politique de la terre brûlée, mise à sac des douars, massacres de civils, etc. – elles ne sont pas plus novatrices, ni plus féroces que le modèle dont elles s'inspirent : celui du consul Metellus, durant le conflit qui l'opposa à Jugurtha.

63

Cela peut sembler incroyable aujourd'hui, et pourtant c'est ainsi que les choses sont advenues : les militaires français ont conquis l'Algérie dans une nébulosité romaine, oubliant que le songe où ils se coulaient finirait, comme toujours, et comme c'était écrit noir sur blanc dans les livres qui les guidaient, par se transformer en épouvante.

D'emblée, et par admiration pour ceux-là mêmes qui avaient conquis la Gaule et gommé si âprement la singularité de ses innombrables tribus, les Français ont effacé celle de leurs adversaires : ils n'ont pas combattu des Ouled Brahim, des Ouled N'har, des

Beni Ameur, des Beni Menasser, des Beni Raten, des Beni Snassen, des Bou'aïch, des Flissa, des Gharaba, des Hachem, des Hadjoutes, des El Ouffia, des Ouled Nail, des Ouled Riah, des Zaouaoua, des Ouled Kosseir, des Awrigh, mais des fantômes de Numides, de Gétules, de Maures et de Carthaginois. Des indigènes, des autochtones, des sauvages.

Le temps patinait sur lui-même d'une façon absurde et pitoyable. Rien ne cessait jamais de ce qui avait un jour opposé les hommes dans la guerre.

64

C'était presque la même histoire avec Isabelle la Catholique. Trois mois après la reconquête de l'Espagne, en 1492, Isabelle et Ferdinand décrètent l'expulsion des Juifs. Ceux qui refusent de se convertir au christianisme ont un mois, sous peine de mort, pour réaliser leurs biens et quitter la péninsule. Dicté par l'Inquisition, le motif est avant tout d'ordre religieux : il n'y a plus de place en Espagne pour les infidèles, qu'ils soient musulmans ou juifs. Les rois catholiques sont déjà riches du butin récupéré sur les Arabes, mais il n'y a pas de petits profits : de telles conditions sont faites aux Juifs – ils ont la liberté d'emporter ce qu'ils veulent, sauf… de l'or ou de l'argent – que cela revient à une confiscation en règle de leurs biens. Si quelques milliers d'entre eux acceptent la conversion, ce sont quand même cent mille Juifs sépharades qui fuient l'Espagne pour se disperser en Europe et au Maghreb.

65

Pareil traumatisme marque au fer rouge les mémoires. Celles des victimes, bien sûr, mais celles aussi de leurs bourreaux : au XIXe siècle, les Espagnols d'Andalousie qui émigrent en Algérie retrouvent avec aigreur des juifs et des musulmans qu'ils ont expulsés quatre cents ans auparavant. En Espagne, c'est toujours un catholicisme frénétique qui mène la danse : des paroles offensantes proférées envers la reine, Dieu ou les juges sont punies de seize ans de bagne, alors qu'un meurtre ou un inceste n'en valent qu'une dizaine. Pis, le décret de l'Alhambra est toujours en application, il ne sera aboli qu'en 1967 !

Projet : Réfléchir sur la désillusion d'optique. Écrire un court traité sur les aberrations de la croyance religieuse, du sentiment amoureux, de l'enthousiasme patriotique ou artistique, s'en trouver à la fois éclairé et désespéré.

En 1870, c'est un autre décret, celui d'Adolphe Crémieux, qui rengréna le mécanisme. En accordant la citoyenneté française à trente-cinq mille Juifs d'Algérie, il diabolisa de nouveau les Israélites. Les Espagnols s'offusquèrent de voir leurs ennemis héréditaires obtenir le droit de participer à la vie politique du pays, privilège qu'ils possédaient eux-mêmes depuis 1862. D'autant que la communauté juive présenta aussitôt des candidats aux élections et remporta plusieurs municipalités. La vilaine mâchoire d'Isabelle la Catholique en grinçait des dents du fond de son tombeau !

Les musulmans y virent une trahison : en adoptant une citoyenneté française dont eux-mêmes se méfiaient pour des raisons confessionnelles, les juifs se fondaient dans le christianisme triomphant ; parce qu'ils admettaient l'assimilation, on les tint pour des renégats, des complices de l'occupant.

Quant aux Français « de souche », ils s'indignèrent, comme à l'accoutumée, qu'un étranger – un Juif ! – vînt dénaturer la prétendue pureté d'un sang mille fois mêlé depuis les Celtes. S'appuyant sur cet antisémitisme religieux, l'entretenant à loisir, ils nouèrent des alliances électorales avec les Espagnols à seule fin de maintenir leur propre hégémonie en Algérie.

C'était cela qu'il fallait entendre dans le résumé de mon père : « Lisbonne ou Bellat, Juif ou antijuif. » À la fois l'antisémitisme viscéral dû au décret de l'Alhambra, et celui, politique et instrumentalisé par les Français, qui faisait suite au décret Crémieux.

66

Le premier pogrom avait eu lieu dès 1881. D'autres suivirent, alimentés par l'affaire Dreyfus, et en mai 1898, Édouard Drumont, ami de Maurras et fielleux auteur de *La France juive*, fut élu député de la province d'Alger.

Ben, mon cochon, si c'est comme ça que tu comptes excuser l'antisémitisme de ton grand-père !

Heidegger… Je l'avais oublié, celui-là.

Je n'essaye pas d'excuser, mais de comprendre cette folie qui consiste à mépriser un homme à cause de sa croyance ou de sa race. Tous ces gens sont agis par des drames anciens dont ils n'ont connaissance qu'au travers des fables qui les enjolivent ou les noircissent. Aspirés par la colonisation française, juifs, Espagnols et musulmans rejouent à l'infini une même scène tirée du répertoire médiéval. Un théâtre de marionnettes siciliennes où s'affrontent les caricatures laissées à marée basse par l'Histoire : reines blondes et vertueuses, preux chevaliers caracolant sous la bannière du Christ-Roi, Sarrasins noirauds et barbus, prélats à robe pourpre, riches marchands juifs, fidèles et félons. On se croirait dans *L'Invention de Morel*, sur une île peuplée d'hologrammes qui ressasseraient, non pas les moments précieux d'une félicité mutuelle, mais ceux du malheur et de la déchirure.

Impossible d'en sortir, tant que ne seront pas détruites les machines infernales qui entretiennent ces répétitions.

67

C'est ce que je me dis en reprenant conscience que je barbote quelque part en pleine mer. Il fait grand jour, mais j'ai du mal à apprécier depuis combien de temps je suis dans l'eau. Un retour de brise a ramené vers moi les gaz d'échappement du moteur. La nausée qui en résulte se confond avec ma langueur, prolonge ce délire inquiétant dont le flux renvoie en permanence à la vie de mon père comme à une lointaine et incompréhensible bouée de sauvetage.

68

La décontamination à l'eau de Cologne, je sais aussi, et très expressément, ce que cela veut dire. Antoñetta me l'a infligée à peu près au même âge que son fils. Nous allions la voir en famille tous les dimanches soir, dans le deux pièces cuisine où elle tenait à vivre seule, non loin de la maison. Elle nous accueillait avec la grande bouteille de Miss Dior que ma mère lui offrait à chacun de ses anniversaires, en versait une large rasade dans le creux de sa main et nous frottait au passage derrière les oreilles. Après ces fourches Caudines, il fallait s'asseoir auprès d'elle devant la télé et regarder en silence *La Vie des animaux* en mangeant des Tuc. Une horreur. De temps en temps, je jetais un œil sur ses jambes œdémateuses, boursouflées par des demi-bas de contention, sur les pouces qui tournaient à grande vitesse entre ses mains réunies, sur la résille noire de son chignon, et tout cela, joint aux effluves de Miss Dior, à la musique oppressante et à ces bestioles sur l'écran toujours plus ou moins en train de crever, me donnait envie de vomir.

Quant l'ORTF avait annoncé l'abandon du noir et blanc, Antoñetta s'était mise aussitôt à percevoir les couleurs sur sa télévision et n'avait donc jamais changé de poste. À l'inverse, elle était morte sans arriver à croire que les hommes aient pu marcher sur la Lune. On la prenait pour qui ou quoi ? Elle n'était pas allée à l'école, comme ses enfants, mais ça ne faisait pas d'elle une demeurée !

69

Il m'a semblé voir passer une ombre sous mes pieds. Je sais bien qu'il n'y a pas de requins dangereux en Méditerranée, mais le souvenir me revient de celui qui nous a nargués, ici même, voici quelques années. C'était au mois d'août, vers midi, par une mer étale. Nous pêchions depuis plusieurs heures, quand j'avais enfin senti une touche. Une daurade rose, sans doute. Après dix minutes de remontée, je me penchai par-dessus la lisse pour la voir paraître ; au moment où elle se matérialisait, semblable à un ectoplasme de vif-argent, un requin surgi de nulle part l'avait gobée, sectionnant la ligne sans même que j'en ressente une secousse. J'avais aussitôt monté un gros hameçon sur une tresse d'acier, accroché quatre sardines par les yeux et lancé mon appât en ligne morte. Dans la minute qui suivit, la bête réapparut. En se tournant pour avaler, elle montra son ventre blanc et continua sa route comme si de rien n'était. Je la laissai prendre du fil durant quelques minutes avant de ferrer. Il n'y avait pas eu de bataille. Tandis que je remontais ma ligne, brasse après brasse, elle avait accompagné le mouvement, venant vers moi, sûre d'elle-même et de sa force, non par contrainte mais par ce qui ne pouvait être que de la curiosité. Lorsqu'elle daigna se ranger au bord du bateau, nous eûmes mon père et moi une seconde de saisissement : c'était un requin bleu de trois mètres de long, la plus belle capture de notre existence. Il faudrait faire attention à nos pieds une fois qu'elle serait à bord. J'avais pris le *gancho* – un manche de pioche muni d'un large crochet à pointe affûtée qui nous servait pour les grosses prises, celles qui n'entraient pas dans le salabre – je l'avais glissé sous les ouïes du requin, à l'endroit que je supposais plus tendre, je m'étais arc-bouté et j'avais tiré de toutes mes forces pour l'enfoncer. La pointe n'avait même pas pénétré. Le requin s'était contenté d'un soubresaut sur le côté, un geste d'agacement et de dépit qui avait coupé net le fil d'acier. Au lieu de plonger, il s'était mis à nager en surface autour du bateau avec une assurance qui nous avait glacé les sangs. Nous étions restés immobiles à suivre son aileron tracer des cercles réprobateurs, longtemps, jusqu'à ce qu'il choisisse de nous laisser, honteux et muets, à l'intuition de notre faute.

Je me vois tout à coup comme le bouchon rouge fluo d'une ligne tendue depuis le ciel par quelque pêcheur gigantesque. Visage dans l'eau, yeux grands ouverts sur la transparence, je tourne sur moi-même pour essayer d'apercevoir mon requin. S'il veut prendre sa revanche, c'est le moment : je ne lui opposerai aucune résistance.

DEUX D'ÉPÉE

Comme ivre d'une panique sans limite

70

Rouge, et bleu, et blanc : sous un ciel limpide et flou, Bel-Abbès avait pavoisé pour célébrer l'armistice et le retour de Pétain. Après l'angoisse du Front populaire, l'émergence de la Révolution nationale exaltait les esprits, donnant à une majorité de Français d'Algérie le sentiment du triomphe légitime de leurs idées. Nul n'imaginait ce qui s'était passé en France. L'éloignement, peut-être, la force aveuglante du soleil.

L'atmosphère devint irrespirable.

71

Début juillet 1940, Manuel Cortès s'inscrivit en philosophie à la fac d'Alger. À peine quinze jours plus tard, le gouvernement de Vichy promulguait une série de lois qui infléchirent le cours de sa vie : le décret du 17 juillet réserva les emplois de la fonction publique aux seuls Français « nés de père français », celui du 22 mit en place une commission chargée de réexaminer toutes les naturalisations d'étrangers, avec menace d'invalider celles qui ne seraient pas conformes aux intérêts de la France. Ces dispositions, qui visaient surtout les Juifs sans les nommer, impliquaient l'interdiction de poursuivre des études universitaires. En tant que fils d'Espagnol, Manuel se vit refuser l'entrée à la fac. Son frère François était sous-lieutenant dans l'aviation, son frère Jean, prisonnier, quelque part dans les Ardennes, mais lui n'était plus assez français pour devenir enseignant !

Toujours pragmatique, et en attendant que le vent tourne, Antoñetta se démena pour le faire embaucher comme préparateur dans la pharmacie d'une cousine, ce qui consistait essentiellement à balayer les lieux et à livrer les commandes. Bon à tout faire chez Munera, alors qu'il s'était rêvé en étudiant de philo… C'était juste impossible à digérer.

72

En octobre, Vichy leva le masque et vota l'abrogation du décret Crémieux, sans que les Allemands eussent été pour quelque chose dans cette initiative. Déchus de la nationalité française, les Juifs d'Algérie redevenaient des indigènes, des parias situés désormais au plus bas de l'échelle sociale, derrière les musulmans à qui la loi conservait la possibilité de demander la naturalisation à titre individuel.

— C'est le début de la fin, avait murmuré Sananès. Nous les Juifs, on est foutus…

Il avait raison.

Légiférant à tout-va, Pétain les dépouilla en quelques semaines du reste de leurs droits : chassés de la fonction publique, il leur fut également interdit d'exercer la moindre profession libérale et jusqu'au métier de commerçant. Seize camps d'internement accueillirent les « fortes têtes », les « meneurs politiques », en même temps que les indésirables, anarchistes, communistes ou « mauvais Français » de la métropole et d'Algérie.

Du jour au lendemain, des milliers d'enfants refoulés des écoles communales furent mis en vacances illimitées.

— Quelle chance, vous allez pouvoir jouer du matin au soir ! avait dit l'instituteur en mettant à la porte de sa classe le jeune frère de Sananès.

Exclu du lycée Lamoricière, André Bénichou, le professeur de philo de Manuel, en fut réduit à créer un cours privé dans son appartement. C'est à cette occasion qu'il recruta Albert Camus, lui-même écarté de l'enseignement public à cause de sa tuberculose. Et je comprends mieux, tout à coup, pourquoi l'enfant de Mondovi, coincé à Oran, s'y était mis à écrire *La Peste*.

73

En janvier 1941, l'accès à l'université fut à nouveau permis aux Français naturalisés, mais pas aux

Israélites. Comme c'était trop tard pour la philo, et sur le conseil de Munera qui proposait de valider son stage, Manuel s'inscrivit en pharmacie.

Durant toute cette année, ce fut Pétain à toutes les sauces. Manuel mit un point d'honneur à s'en démarquer. La plupart de ses copains, Del Baño en tête, avaient été internés dans un camp, à Baudens, à quinze kilomètres de Bel-Abbès ; les uns parce qu'ils étaient juifs, Del Baño parce qu'il était communiste et s'évertuait à payer son propriétaire pétainiste avec des pièces de cinq francs peintes du plus beau rouge. Manuel allait leur porter des provisions tous les dimanches et bataillait pour les faire sortir, harcelant de requêtes les bureaux de la préfecture. De bonnes âmes se chargèrent de prévenir son père : Ton fils, il tourne mal, faut qu'il arrête son *jaleo*[1], sinon...

Le 23 avril, Jean Borotra, le commissaire général à l'Éducation et aux Sports de Vichy, fit une halte à Bel-Abbès lors d'une grande tournée dans les colonies françaises. Le train spécial du ministre, un convoi transportant une centaine d'athlètes de toutes disciplines et plus de trente journalistes chargés de couvrir ce déplacement, arrivait du Maroc où il avait été accueilli triomphalement.

La ville se mit en quatre pour le recevoir et obéir aux consignes reçues : le but essentiel n'était pas d'attirer autour des manifestations un public d'amateurs

[1] Action d'exciter les chiens, de faire du scandale.

de sport, mais de rassembler une masse d'associations disciplinées et ordonnées dans lesquelles s'incarneraient la volonté de redressement national de la France et l'authenticité des liens entre la métropole et l'Afrique du Nord. En clair : une opération de propagande.

Une foule immense acclama l'arrivée du train. Rassemblés pour l'occasion, plusieurs centaines d'écoliers en tenue de sport bleu blanc rouge se livrèrent à des exercices gymniques, puis chantèrent accompagnés par la musique de la Légion. On avait pris soin d'y faire participer de jeunes musulmans, dûment sermonnés sur la ferveur qu'ils devaient manifester au « vizir Borotra ». Le commissaire souligna par la suite cet enthousiasme : ce qui l'avait le plus ému à Bel-Abbès, c'était la conviction de ces petits Arabes chantant de leur voix de cuivre « Lion de Verdun, grand soldat courageux, nous n'avons pas d'autre père que toi ». Au stade municipal, les athlètes de la métropole donnèrent une longue démonstration de leurs sports respectifs, puis tout ce monde se rendit en cortège sur la place Carnot où Borotra et Lucien Bellat devaient prononcer les discours officiels.

Au débouché du boulevard, Manuel vit défiler les deux escadrons à cheval de la Légion, impeccables sur leurs montures luisantes, puis la clique précédant le 1er régiment étranger au grand complet. De temps à autre, le tambour-major lançait haut ses masselottes, avant de les rattraper quelques pas plus loin, en automate de vitrine dont le geste infaillible provoquait des applaudissements. Juchés sur les épaules des adultes, ou se haussant du cou, les gamins s'excitaient en apercevant les barbes en éventail sous les képis nouvellement blanchis, les tabliers de buffle, les épaulettes de parade. Il y avait des rires chaque fois qu'un cheval troussait la queue pour éjecter une brioche de paille et d'or sur l'asphalte. Parmi les spectateurs qui se pressaient sur les côtés du boulevard, une escouade d'infirmières agitaient de petits drapeaux français, des femmes de notables suaient dans leur gaine Playtex, ombrelle déployée ; le front perlé par la transpiration, des hommes en complet veston chassaient les mouches de leurs tempes et de leur moustache, songeant déjà aux bienfaits glacés de l'anisette ; il y avait aussi des dignitaires musulmans en gandoura et turban immaculés, des mauresques voilées comme des madones. Sous le soleil imperturbable de midi, tous ces gens s'égosillaient, on entendait des cris d'allégresse, des youyous fusaient, tandis que le service d'ordre repoussait les loqueteux, petits cireurs de chaussures ou vendeurs de figues de Barbarie, à coups de pied aux fesses. C'était maintenant des vétérans de 14-18, en civil, médaille militaire au plastron, qui défilaient. Toute cette mascarade bien-pensante, alors qu'ailleurs dans le monde la guerre continuait ! Un début de *Marseillaise* monta des trottoirs, et comme apparaissaient les milices de la Ligue d'union latine, marchant bras levé, béret incliné sur le crâne, la foule prise aux tripes entonna *Maréchal, nous voilà,* par instinct mimétique avec ces jeunes patriotes affublés de chemises brunes. Manuel les affronta du regard tandis qu'ils défilaient, sans desserrer les lèvres, fier de son insolence.

Ce mépris n'était pas passé inaperçu : dès le lendemain, quelques-unes de ces fripouilles vinrent au café menacer son père. Et c'était qui, ces gens ? Tous des fils de colons, de ceux qui avaient de l'argent. Juanico les calma en sortant son fusil de derrière le comptoir et, heureusement, l'affaire en resta là.

74

Cet été 1941, Manuel obtint sans problème sa première année de pharmacie, mais avec un pénible sentiment de désillusion. L'homme était un loup pour l'homme : tout ce qui était advenu autour de lui ces derniers mois démontrait à l'envi cette affreuse limite, clamant haut et fort l'impuissance des idées face à la nature humaine. Les idéologies politiques, la religion ou la métaphysique n'étaient que des ersatz, des emplâtres qu'une humanité terrifiée, et au fond d'elle-même consciente de leur inefficacité, appliquait sur la mortelle blessure d'être au monde.

Revenu de son enthousiasme philosophique, Manuel Cortès opta pour la médecine et fut admis à la fac d'Alger. Les études le passionnèrent, sans l'empêcher de goûter aux plaisirs et aux transgressions de la vie estudiantine. Initié au poker par son ami Pollico, il se révéla extrêmement doué. Les jeux d'argent avaient été interdits par Vichy, mais Manuel s'encanaillait tous les soirs avec ses copains, là où s'organisaient les parties clandestines, dans des chambres d'hôtels borgnes ou les arrière-salles de bistrots. Une nuit, lors d'une partie au café Paco, il joua contre un type qu'il ne connaissait pas mais s'obstinait à miser gros. Il lui avait tout raflé en quelques heures. Une sacrée somme ! Dès le lendemain, il paya une paire de chaussures à Pollico, un costume à Chevrier, et ils allèrent au cirque voir une fille qui dansait le fandango. Quand elle tournait, on lui voyait les cuisses et la culotte... Ce spectacle les affolait !

75

Manuel était rentré chez ses parents pour les vacances de Pâques, lorsqu'une lettre arriva qui les convoquait lui et son père à la gendarmerie. Le commissaire Aulanier les reçut dans son bureau et se mit aussitôt à interroger Manuel. Vous avez bien joué au poker avec Untel, tel jour à tel endroit ? Quelle somme avez-vous gagnée ? Où se trouve l'argent ? Le jeune Cortès confirma la chose, avouant qu'il avait dépensé tous ses gains. *Coño*, c'est quoi, cette histoire ? s'était exclamé son père. L'inconnu que Manuel avait si bien lessivé était un voleur notoire, l'argent provenait du cambriolage d'une banque au Maroc. Je devrais inculper votre fils pour avoir enfreint la loi sur les jeux, avait dit le commissaire, ce qui aurait pour conséquence de l'exclure immédiatement de l'université. Mais comme c'est vous, monsieur Cortès, et que le gosse est encore mineur, je vais fermer les yeux : on enterre les choses pour cette fois.

Juanico s'était tourné vers son fils avec un regard noir, et il lui avait mis une gifle, la seule qu'il se soit jamais permise sur Manuel, une gifle épouvantable qui lui avait déchaussé une molaire.

76

Le 8 novembre 1942, alors qu'il venait de commencer sa deuxième année de médecine, les Américains débarquèrent en Afrique du Nord.

Alger tomba sans combattre, une poignée de résistants ayant réussi à neutraliser le commandement français. Il n'en fut pas de même au Maroc ni à Oran où les forces armées fidèles à Vichy contre-attaquèrent durant plusieurs jours avant de se soumettre.

La liesse populaire qui suivit rendit Manuel ombrageux : oubliés les deux mille morts et les trois mille blessés provoqués par le loyalisme des pétainistes, oubliés les deux cents GI prisonniers que les légionnaires avaient exhibés dans les rues d'Oran, au soir du premier jour, sous les huées et les crachats de la foule ! Il n'y eut plus assez de mots pour louer les ennemis d'hier, pour admirer leurs innombrables camions à étoile blanche, leurs uniformes resplendissants, leur générosité de vainqueurs débonnaires. On se ruait à leur passage comme à celui d'un carnaval, mains tendues vers ces largesses qui pleuvaient, friandises, chewing-gums à la cannelle, cartouches de cigarettes, rations débordant de café soluble, de biscuits, de corned-beef. *Fucki, fucki*, Margarita ? criaient ces olympiens au sourire de star en lançant des boîtes de préservatifs vers les jeunes filles. *Fucki, fucki !* répondaient celles qui les attrapaient au vol, sans comprendre ce que cela signifiait ni ce qu'elles avaient entre les mains. Les enfants s'étaient mis à jouer avec des baudruches en forme de dirigeables ; jetées à la va-vite dans les caniveaux, des centaines d'épinglettes à la francisque scintillaient sous le soleil.

77

Lorsque les Alliés firent savoir qu'ils allaient continuer la guerre avec l'armée d'Afrique du général Giraud, Manuel n'eut pas une seconde d'hésitation : il écrivit à qui de droit pour s'engager dans les parachutistes.

Les parachutistes ! Lui que je n'ai jamais vu prendre un seul avion de toute sa vie tant l'éventualité d'un accident le terrorise ! Pourquoi ? Sa réponse m'avait surpris : par esprit de bravade, par haine des riches colons dont il ne pouvait plus supporter ni la morgue ni le fascisme indécrottable, parce qu'il en avait marre de les entendre faire rimer « espagnol » avec *caracol.*

Sa lettre étant restée sans suite, Manuel insista pour devancer l'appel. Vaincus par son obstination, ses frères le recommandèrent auprès d'un dénommé Mayol qui s'occupait du recrutement, si bien que le jeune Cortès fut incorporé dans l'armée, mais seulement comme fantassin. Du jour au lendemain, et sans avoir à se jeter d'un avion pour prouver sa bravoure, il se retrouva à Tlemcen avec les fonctions d'infirmier.

Sur ces entrefaites, le gouvernement colonial créa un stage pour former des médecins auxiliaires en vue de l'offensive à venir. Des sortes d'urgentistes, chargés de ramasser les blessés et de leur donner les premiers soins. On y acceptait ceux qui avaient déjà une année ou deux de médecine. Manuel postula et fut envoyé à Alger où il suivit durant neuf mois une formation qui consistait en grande partie à disséquer de vieux cadavres. Sorti premier, ce qui lui laissait le choix de sa garnison, il fut versé à l'hôpital militaire de Sidi-Bel-Abbès comme médecin auxiliaire, avec le grade d'adjudant. Quelques semaines s'écoulèrent jusqu'au jour de novembre 1943 où on le prévint qu'il devait rejoindre Oran ; il partait à la guerre, en Italie.

78

Un gros sac sur l'épaule, calot sur la tête et casque rond américain à la ceinture, Manuel embarqua sur le *Khandalla*, un paquebot de la British India. Transformé en transport de troupes, le navire avait conservé son équipage indien. Les huit jours que dura la traversée – la flotte louvoyait pour éviter les sous-marins allemands – furent presque une partie de plaisir : la nourriture était excellente, le service assuré par des sikhs enturbannés. Manuel avait goûté au tabac pour la première fois, et c'est la cigarette au bec que du crépuscule jusqu'à l'aube il joua au poker avec les soldats américains.

Lorsqu'ils débarquèrent à Naples, la ville récemment libérée grouillait de MP, de jeeps et de convois militaires. Apprenant que les médecins auxiliaires seraient répartis dans les hôpitaux, en attente d'une affectation, Manuel refusa tout net. Il voulait coûte que coûte participer à la guerre. Le médecin-major qui les briefait l'emmena dans son bureau.

—Pour quelle raison êtes-vous si pressé d'aller vous faire tuer ?

—Parce que je suis fils d'Espagnol.

Le major eut un petit sourire.

—C'est une raison suffisante, je m'en contenterai. Donnez-moi vos papiers.

Il se mit à écrire, tout en jetant un œil sur le livret militaire.

— Vingt ans… marmonna-t-il sur un ton où il y avait plus de pitié que d'admiration. Voilà, présentez-vous au QG du 11e tabor. Ils sont stationnés du côté de Succivo. Montrez cette lettre à un jalonneur, il vous indiquera la route.

Manuel partit sur-le-champ. Les tabors, il n'en avait jamais entendu parler ; aucune importance du moment qu'il allait au front. Une fois sur le bon chemin, le Vésuve dans son dos, il marcha durant deux heures, sans un regard pour le paysage de campagne où il s'enfonçait. Contraint de s'arrêter à la nuit tombée, il s'installa sous un arbre, se préparant à dormir à la belle étoile, quand la terre sembla se fracturer de tous côtés autour de lui. Le monde hoquetait, pris d'un sanglot définitif. Combien de temps il resta recroquevillé dans un fossé, les mains tremblantes sur ses oreilles, sa mémoire n'en gardait nulle estimation, mais du cœur même de la frayeur qui le cloua au sol, il se rappelait avoir été heureux, comme ivre d'une panique sans limite et jamais éprouvée. Enfin les bombes, disait la peur au fond de lui, enfin le baptême du feu ! C'était la vraie vie qui commençait.

Au matin, la pluie sur son visage l'avait réveillé. Le bombardement de la nuit semblait un mauvais rêve, mais des cratères d'impacts remplaçaient désormais une grande partie de la route.

79

Il arriva vers neuf heures au campement des tabors, surpris d'y rencontrer autant d'Arabes en djellaba, pieds nus dans des sandales de cuir, qui réajustaient sur leur tête des écheveaux de laine rouge ou aiguisaient en chantonnant de grands poignards à lame courbe. L'un d'entre eux l'emmena jusqu'à la tente du chef de bataillon.

Le commandant Peyrebrune était un homme à peine plus grand que Manuel, avec une bonne tête et, sous un burnous bleu, l'embonpoint d'un amateur de friandises. Cortès tombait à pic, il lui manquait un toubib pour compléter son effectif. Son tabor avait eu pas mal de casse le mois dernier lors du débarquement en Sicile. Savait-il au moins ce qu'était un tabor ? Allons, bon !

— Un tabor, expliqua-t-il, c'est une unité d'élite formée de soldats marocains sous commandement français. Des guerriers issus des tribus de l'Atlas, rompus à la guerre de montagne, intraitables devant l'ennemi. Deux à trois cents d'entre eux forment un goum, l'équivalent d'une compagnie. Trois à quatre goums pour un tabor ; trois tabors pour un GTM ou groupement de tabors. Il y a quatre GTM engagés dans cette guerre, soit environ douze mille hommes. Tous volontaires, de même que les officiers français. Vous êtes volontaire ?

— Oui, mon commandant.

— Parfait. Je vous garde avec moi : 4e GTM, 11e tabor, 89e goum. Le reste, vous l'apprendrez bien assez tôt. Vous savez à quel point vous ressemblez à Tyrone Power ?

— On me l'a déjà dit, mon commandant.

— Voyez le sergent Hakim, il va vous montrer vos quartiers.

Pendant la dizaine de jours où son bataillon était resté en attente, Manuel avait profité d'une jeep pour visiter la Campanie. Il s'était rendu à Capoue, à Cumes, à Pompéi. *Signorina, buone, private ! Bisteque macaroni !...* Dans les rues de Naples, des gamins accostaient les soldats pour leur proposer des femmes contre de la nourriture. Il ne s'en priva pas non plus. Le premier gosse qu'il consentit à accompagner, sur la foi d'une mauvaise photo, l'emmena chez lui voir sa grande sœur. Toute la famille l'attendait dans la salle à manger, le père, la mère, leur fille. Instruit par un goumier de la marche à suivre, Manuel posa une ration K sur la table. Après un hochement de tête du père, la jeune femme le fit entrer dans la chambre des parents et ferma la porte derrière elle. Une fois déshabillée, elle s'était mise à genoux devant une image de la Sainte Vierge, punaisée au-dessus du lit. Ensuite, elle lui avait fait sa petite affaire, avec son père et sa mère qui patientaient dans l'autre pièce. C'était atroce, ils mouraient de faim, ces gens-là ! Sur le moment, on ne s'en rendait pas compte, tant on avait hâte de jouissance immédiate. Manuel, pas plus que les autres, ne s'était posé de question, mais il revint de ses bordées avec une chaude-pisse d'anthologie. Par chance, il y avait dans sa pharmacie de campagne un remède miracle, le Daguenan : des sulfamides qui fonctionnaient à merveille.

Le chapeau de Jim la jungle

80

C'est mon téléphone, cette fois, qui me ramène à l'instant présent. Je l'ai laissé dans la cabine pour ne pas l'exposer aux embruns. La belle affaire, puisque je suis incapable de remonter sur le bateau ! Pas de regret, donc. J'ai changé la sonnerie pour le thème emblématique des films de James Bond, et je parviens à sourire de son décalage avec le ridicule de ma situation.

Presque, me suggère Heidegger.

Presque quoi ?

Je parviens *presque* à sourire.

Peu importe. C'est probablement ma mère qui vient aux nouvelles. « Papa te demande si tu as bien vérifié l'huile avant de démarrer le moteur. » Ou : « Est-ce que les enfants aiment les rougets ? Ton père en a acheté un kilo ce matin (soupir), il faut que je me mette à les vider. » Je donnerais n'importe quoi pour être en mesure de lui répondre.

Depuis l'avènement des portables, nous n'avons plus de VHF. Mon père en a acheté une, autrefois, sur les conseils de Luís, un copain pêcheur qui lui vantait les avantages d'un tel appareil. Parti en mer avec sa nouvelle acquisition, mais sans emporter le carnet où on lui avait aimablement transmis la marche à suivre – le canal 16 à réserver pour les appels d'urgence ou la météo, le bouton à appuyer quand on émet, à relâcher pour écouter, les formules conventionnelles à employer au micro, du genre « Je vous reçois fort et clair » –, il avait entrepris de l'expérimenter. Il s'était mis sur le canal 16, et au large, devant le Fort de la Croix des Signaux que j'aperçois au loin, sur la presqu'île de Saint-Mandrier, il avait répété : « Ici *Gabian*, j'appelle Fort Éclair, j'appelle Fort Éclair, est-ce que vous me recevez ? » Durant plus d'une heure, et avec l'insistance d'un cosmonaute privé de liaison radio avec la Terre ! « Fort Éclair » ne lui avait jamais répondu. Dépité, il en avait conclu qu'on s'était moqué de lui et que cette chose ne servait qu'à se hausser du col ; il l'avait remisée dans le garage, à côté de l'étui à cigarettes programmable qui permettait de se passer à jamais de l'envie de fumer.

81

Cette merveille de technologie des années quatre-vingt, l'étui à cigarettes, il l'avait achetée par correspondance, en même temps que le « leurre attirant irrésistiblement tous les prédateurs marins par sa nage exclusive de petit poisson blessé ». L'étui à cigarettes, cela avait été vite fait. Parti en mer avec un boîtier qui ne distribuait une cigarette que toutes les heures, il avait résisté quinze minutes, tenté en vain d'ouvrir cet élégant coffre-fort à coups de marteau, puis gaspillé tout son temps de pêche à courir après les barques qu'il rencontrait pour mendier un peu de tabac.

Il m'avait fait cadeau de l'étui à cigarettes ; je m'en étais servi plus tard pour la cocaïne, au Brésil, avec aussi peu de succès.

Quant au leurre, j'étais là. Une espèce de poisson-clown, hérissé de tridents, qu'il s'agissait d'accrocher à la place du plomb. Au moment de la mise à l'eau, il fallait introduire à l'intérieur un comprimé d'aspirine effervescente, et dans un nuage de bulles, l'objet se mettait à tournicoter sous l'eau comme un Nautilus en perdition. *Tchoufa !* On y avait passé trois tubes d'Efferalgan avant de l'admettre. *Engaña muchachos*, avait dit mon père, il y en a qui nous prennent vraiment pour des cons !

J'avais acquiescé, songeant à part moi que je n'aurais jamais acheté un truc pareil, mais que nous avions dû guérir malgré tout pas mal de migraines chez les girelles.

82

Une crampe vient de me saisir au mollet, je suis obligé de me contorsionner dans l'eau pour étirer ma jambe et faire passer la douleur.

Étonnant, comme par je ne sais quelle imprégnation magique, je connais chaque mot, chaque expression d'un langage disparu. *Tchoufa* : pour « ça a foiré » ; *Engaña muchachos* : pour « attrape-couillons »... J'ai en moi un dictionnaire aussi complet qu'inutile de ce jargon.

Bienvenue au club, glousse Heidegger.

C'est un peu vrai, je ressemble à un perroquet qui aurait survécu à l'anéantissement de tout un peuple. Rien à en tirer, sinon la répétition d'un lexique et d'une syntaxe à jamais désuets. Non que mon père s'exprime ainsi, au contraire. Comme la plupart des Européens naturalisés, du moins ceux qui ont sauté une case dans le jeu de l'oie social, il s'est toujours efforcé de pratiquer une langue châtiée, exempte d'hispanismes, de mots arabes ou des incorrections qui font le sel du parler nord-africain. Ce créole un peu honteux, il le réserve à l'intimité familiale, aux parties de pêche, à un cercle d'amis rapatriés, de plus en plus restreint, qu'il croit honorer par cette marque d'appartenance. L'exercice est périlleux. À un frankaoui, le capitaine du port, par exemple, il dira : « Mon fils a pris le bateau ce matin, et il n'est pas rentré ; je crois qu'il a eu un accident. Il faudrait lancer des recherches. » Mais le souci de s'exprimer en français mieux que le Français auquel il s'adresse, cette hypercorrection des dominés, s'entendra dans sa façon d'imiter le parler pointu des Parisiens : Mon fils a pris le bateau ce « matun »... Je crois qu'il a eu un « accidon »...

Avec ses copains, ce serait plutôt l'inverse, il en rajouterait pour accentuer son adhésion à la communauté : « Mon *boujadi*[1] de fils a pris le bateau ce matin, et il a plus donné de nouvelles. Je suis emmerdé pour lui, il a dû tomber en panne quelque part. Où il est, *quien sabe*[2] : avec lui, c'est comme Christophe Colomb, il sait ni où il va, ni où il arrive. » Et il attendrait qu'on lui propose de partir me chercher, sans s'apercevoir de la gêne que sa condescendance a provoquée. Les copains sont algérois – l'un d'origine mahonnaise, l'autre maltaise –, ce ne sont pas les mêmes codes qu'en Oranie, mais surtout, ils ne s'attendent pas à ce que quelqu'un qui a fait des études, a fortiori un docteur, leur parle aussi familièrement.

J'ai reçu en partage ce même entre-deux inconfortable. Autant mon père montrait une sorte d'attendrissement à m'écouter réciter la parodie du *Cid* en pataouète, autant la moindre trace d'accent pied-noir ou de mimétisme involontaire avec certaines tournures me valaient une *calbote*[3] instantanée. « On ne dit pas "pe-neu", on dit "pneu". Continue à parler comme ça si tu veux qu'on te prenne pour un bourricot. N'oublie jamais que tu es fils d'Espagnol, on ne te pardonnera rien ! »

1 « Paysan. »
2 « Qui peut le savoir ? »
3 Petite tape sur l'arrière de la tête.

83

Dans la famille de nos voisins, boulevard Danton, Pepico, mon camarade de jeux, ne sortait jamais sans un couvre-chef trop grand pour lui, mais que je lui enviais beaucoup. Un chapeau de brousse dont on pouvait relever les pans grâce à des boutons pression. Chez Pepico, on l'appelait « le chapeau de Jim la jungle » ; sa mère, encore jeune fille, l'avait reçu en hommage d'un soldat américain débarqué en 1942 à Bel-Abbès. Il le lui avait lancé de sa jeep, enivré de son triomphe pétaradant, et elle l'avait gardé.

« Mets le chapeau de Jim la jungle, mon fils, lui disait-elle, que le soleil il va cogner aujourd'hui ! »

Nous l'avons tous sur la tête ce drôle de chapeau légué par nos parents. Trop large, trop lourd, trop délavé d'angoisses et d'espérances qui ne sont pas les nôtres.

Quel était celui de mon père, je n'en ai aucune idée, mais il l'a jeté derrière lui sans un regard en s'engageant.

Un chapeau en forme de coquille d'escargot ?

C'est un peu court. La vérité, c'est qu'il n'en sait rien lui-même. Sans doute a-t-il perçu ce que j'exhume et qui m'écœure aujourd'hui de cette misérable époque. Sur le moment, j'aurais préféré l'entendre dire qu'il avait choisi la guerre « pour délivrer la France » ou « combattre le nazisme ». Mais non. Il s'était presque fâché de mon insistance : Je n'ai jamais songé à délivrer qui que ce soit, ni ressenti d'animosité particulière contre les Allemands ou les Italiens. Pour moi, c'était l'aventure et la haine des pétainistes, point final.

Cela avait au moins le mérite de la franchise.

84

Parmi les souvenirs que je lui ai soutirés, il y a aussi cette première inscription en philosophie dont il ne m'avait jamais dit un mot. Jamais, pendant soixante ans. Si je me sors de là, il faudra que je raconte sa colère lorsque j'ai délaissé la fac de droit pour celle de philo, et comment il m'a banni de la maison familiale lors d'une scène tragi-comique digne du plus mauvais théâtre espagnol. Je dirai aussi comment il m'a pardonné deux ans plus tard, quand il a vu que je passais mes examens sans difficulté, jusqu'à me faire des excuses pour son comportement. Mais quel abîme de non-dits entre son propre désir contrarié par le pétainisme et le fait qu'il se soit insurgé à l'idée que je puisse suivre les études dont il avait rêvé au même âge que moi ! J'ai entendu ses raisons, évidemment, ce n'était que pour mon bien : « Écrire, c'est ça que tu veux ? Être un raté, un *mendjacaga* [1] ? » Il avait dépêché son meilleur ami auprès de moi pour tenter de me circonvenir.

[1] Littéralement « mange-caca ». Pour « crève-la-faim ».

— Tu veux faire écrivain ? m'avait demandé Joseph Beraguas. Et qu'est-ce qui te dit que tu as assez de talent pour ça ?

— « Ce qu'on veut faire, c'est en faisant qu'on le découvre. » Tu connais Alain ?

— C'est qui ce Alain ? s'était-il énervé. D'où il sort celui-là ? Qu'est-ce qu'il fait son père ?

J'avais haussé les épaules et répondu avec suffisance :

— Le philosophe Alain. Émile-Auguste Chartier de son vrai nom. Commence par lire ses livres, et on en reparle après, d'accord ?

Ça l'avait si vertement estomaqué qu'il s'était contenté de m'abandonner à mon destin de petit merdeux.

85

Nouvelle crampe, plus difficile à faire passer. Je m'oblige à nager pour me réchauffer un peu. Toujours pas de bateau à l'horizon, rien ne témoigne autour de moi d'une présence humaine sinon, loin sur le cap Sicié, un feu d'écobuage dont la colonne de fumée s'élève haut dans le ciel d'hiver.

Zidou l'goudem !

86

Malgré la pluie battante, un panache semblable s'apercevait au-dessus du Vésuve lorsque Manuel Cortès pénétra dans la guitoune de commandement. Peyrebrune avait réuni tous ses officiers pour les avertir de leur départ imminent. Devant une carte de l'Italie striée de traits au crayon rouge, il fit un rapide résumé de la situation. Après avoir débarqué en Sicile, puis en Calabre et à Salerne, la 8e armée britannique et la 5e armée américaine s'étaient emparées de Naples mais se trouvaient bloquées par une très solide résistance allemande. Pris de court par l'avancée des Alliés, le maréchal Kesselring avait choisi de replier ses forces en bon ordre et de protéger Rome en établissant deux lignes de défense qui profitaient au mieux des reliefs de la péninsule. La première s'appuyait sur les Abruzzes, le long d'un front courant de l'embouchure du Volturno, côté Méditerranée, jusqu'à Termoli sur l'Adriatique. La seconde, baptisée « ligne Gustav », se situait une cinquantaine de kilomètres en retrait. À peu près parallèle à la ligne du

Volturno, et encore plus fortifiée, elle barrait la vallée du Liri, exploitant au nord la chaîne escarpée des monts Santa Croce, San Martino, Cifalco, Belvédère, Cairo, Cassino, et au sud, les monts Aurunci et le Majo.

Sur une carte d'état-major plus détaillée, Peyrebrune leur montra le théâtre des futures opérations. La manœuvre des forces françaises consistait à percer le front des Abruzzes au niveau du Pantano puis à s'ouvrir un passage vers Atina en s'emparant de toutes les hauteurs stratégiques. Les tabors viendraient en appui de la 2e division d'infanterie marocaine déjà sur place pour relever les fantassins américains de la 34e DIUS.

— Toi, petit toubib, avait dit le commandant, tu installes ton infirmerie là où je me trouve. Toujours, quoi qu'il arrive.

87

Entre les mots et les choses, nous sommes tous censés le savoir, il y a un gouffre que l'imagination ne saurait combler. Ce qu'il y avait d'indéfini dans l'ordre de Peyrebrune, et de vaguement menaçant, ne prit corps que deux jours plus tard, le 16 décembre 1943, mais avec l'exactitude foudroyante d'une réaction chimique.

Manuel s'enfonça dans la guerre comme on entre en aphasie.

88

Au commencement sont les entrailles, celles des chevaux avant celles des hommes, d'infâmes embrouilles intestinales livrées au harcèlement des mouches. Il les a vus partir à l'aube, sur un versant du Pantano : deux cents cavaliers marocains lancés au galop vers la mitraille, avec leur casque haut sur le turban et les rayures gris-noir de leur burnous de montagne. Sous eux, leurs chevaux blêmes, petits et chevelus, à peine débarqués de l'Atlas, s'éventraient en pleine course dans le jour naissant.

Au commencement sont les obus, les mines, les roquettes. À coups d'éclairs, de zébrures crépitantes, à coups de cisaille dans le ciel, de foudre redoublée, il voit se déchaîner, s'enfler, se dissiper, se ranimer en convulsions soudaines, se durcir à nouveau, la fureur monstrueuse qui embrase la terre, modifie à l'aveugle le paysage, le tord, le lacère, le barbouille de sang et de cervelle, l'assomme d'une trépidation divine. Le miaulement des mines bondissantes, ces *crying minnies* qui vous partent dans les pieds, ricochent et cabriolent avant de lâcher à hauteur d'homme leur giclée de ferraille ; le sifflement des fusées incendiaires, expulsées par paquets de six hors des Nebelwerfer, son amplification dans l'espace jusqu'à se confondre avec le hurlement qui s'échappe de votre gorge ; le tonnerre aberrant de l'artillerie lourde, les déflagrations des mitrailleuses, la grêle incessante de gravats, de glaise, de loques ensanglantées, ce à quoi se réduit le monde tandis qu'on crapahute sur les pentes raides et verglacées du Pantano.

Le poste de secours avancé est presque au milieu de ce tohu-bohu : Peyrebrune colle au combat comme une mouche à viande, et Manuel suit son commandant. Les brancardiers ne doivent pas chercher l'infirmerie, a-t-il insisté, ils doivent la rencontrer ; alors ils y vont, ils vont les chercher, quoi qu'il arrive, malgré cette fissure dans le ciel qui fait signe d'apocalypse. Il a touché le même équipement que ses brancardiers marocains, sarouel et gandoura sous une épaisse djellaba à rayures brunes, tissée de laine et de poils de chèvre censés la rendre imperméable. C'est dans la capuche, le *koub*, qu'on lui a conseillé de mettre son nécessaire d'intervention, *first aid dressings* et syrettes de morphine. Des bas de laine sans pieds pour couvrir les jambes, une paire de sandales en cuir de bœuf non tanné. Il fait moins sept degrés, là-haut, et ça descendra jusqu'à moins trente, mais l'intendance n'a pas suivi ; les brodequins et les snow-boots n'arriveront que bien plus tard. C'est donc en robe de bure et pieds nus dans ses *naâil* qu'il marche, à grandes enjambées, sur un sol jonché de cadavres. Parmi ces corps blanchis de givre, il y en a parfois qui bougent, qui geignent, qui supplient ; d'autres qui hurlent en pleurant. *Stena chouïa*[1], toubib, j'en vois

[1] « Attends un peu. »

un qui remue... On s'approche, on vérifie ; quelques secondes pour un garrot ou une injection de morphine, et on brancarde l'homme jusqu'aux mulets. Il y en a six qui attendent un peu à l'abri, en contrebas, et Ali, le muletier, a toutes les peines du monde à les faire tenir en place tant ils sont terrorisés ; deux brèles équipés d'une civière pliante de chaque côté, quatre avec des cacolets qui permettent d'asseoir les blessés. Elles se chient dessus, les pauvres bêtes, mais elles transportent jusqu'aux tentes les corps suppliciés. Des cris, des ordres, des jurons. En avant, derrière moi ! Celui qui a dit ça ne marchera plus jamais, ses deux jambes sont coupées à hauteur du genou, un jeune capitaine français de Constantine qui tremble de tout son corps tandis qu'on le recoud. *Zidou l'goudem !* Ça veut dire la même chose en berbère, et celui-ci, Lakdar, un grand gaillard du Drâa, n'a qu'un trou rouge en guise de visage. Graine d'oie ! Enfant de veau ! Face de pet ! Jus de singe ! Raclure de pelle à merde ! Ben, mon zèbre, t'as pris queq'chose sur ta belle gueule !

Au commencement sont les odeurs d'éther, de phénol, de créosote. Les lits de camp souillés de pisse, de vomissures et de caillots, lits de douleur où se succèdent les mourants, où l'on finit soi-même par s'endormir, abruti d'horreur et de fatigue.

Il y eut un soir, puis un matin, et on ne sait quelle instance décida que cela était bien, et qu'il n'y avait aucune raison pour ne pas continuer.

89

De ce jour inaugural jusque vers la fin mars, Manuel suivit l'errance de son goum dans les Abruzzes. Après le Pantano, il y eut le pic de la Mainarde, le Monna Casale, la Costa San Pietro, le Belvédère, autant de pitons battus par les vents et la neige, de crêtes dénudées qui en découvraient d'autres aussi infranchissables. Sur chacune de ces hauteurs, des blockhaus allemands faisaient la loi. Impossible d'y monter une quelconque arme lourde, les hommes devaient se faufiler jusqu'à eux, les prendre à la grenade et finir le travail au fusil ou au couteau. Les pertes devinrent effrayantes, les évacuations pour cause de gelures également ; parvenus aux limites extrêmes de la résistance physique, ils s'étaient mis à déshabiller les morts ; les chaussures allemandes, imperméables et fourrées, valaient de l'or.

À la mi-janvier 1944, ils franchirent ainsi le cours supérieur du Rapido et se fixèrent, épuisés, aux abords de la ligne Gustav. Ils n'avaient progressé que de treize kilomètres en trois semaines, mais le front des Abruzzes était suffisamment consolidé pour permettre d'envisager l'attaque ultérieure de Monte Cassino.

Cette première poussée victorieuse, réalisée uniquement par le corps expéditionnaire français, avait surpris aussi bien les Alliés que leurs ennemis. Les premiers, général Clark en tête, reconsidérèrent leurs préjugés sur le général Juin et la qualité de ses troupes coloniales ; les seconds se mirent à surveiller de près ces hordes de templiers en robe de chambre qui avaient anéanti à mains nues leurs meilleures unités autrichiennes.

90

De cela, les hommes ne savaient rien sur le moment, pas plus que les mulets ne savent où on les envoie. Les journaux destinés aux combattants – *La Patrie*, l'hebdomadaire *Ila el Amam* ou le mensuel *An Nasr* – n'arrivaient qu'au compte-gouttes et avec beaucoup de retard sur les événements. Ce n'est que plusieurs semaines après leurs souffrances sur la cote 1478 qu'ils apprirent l'exploit constitué par ce qui était devenu « la prise de la Mainarde ». Des bruits circulaient, des rumeurs. Les Américains avaient débarqué à Anzio, sur la mer Tyrrhénienne, mais ils s'étaient fait exterminer, disait l'un ; c'est faux, ils tiennent bon, assurait l'autre avec aussi peu de preuves. La propagande allemande s'efforçait d'assombrir le tableau. Lâchés par avion, des milliers de tracts promettaient la défaite aux Alliés, engageant les soldats indigènes à se soustraire au joug du colonialisme français et à gagner leur indépendance en rejoignant le camp adverse.

Manuel avait appris à parler le berbère marocain, dans l'urgence et de façon approximative, mais avec assez d'efficacité pour être capable de diriger son équipe de brancardiers et poser aux blessés les questions essentielles : « Où est-ce que tu as mal ? » « Montre-moi ! » « T'en fais pas, on va te sortir de là. » Le b.a.-ba qu'un être humain devrait apprendre dans toutes les langues, avant même de parler la sienne.

Ses contacts avec les goumiers se bornaient cependant à ce vade-mecum du secours. Dans la *Notice à l'usage des gradés* que Peyrebrune lui avait mise entre les mains, le « musulman nord-africain » était présenté comme un guerrier-né, mais que sa nature fruste et « l'infériorité de sa race » rendaient susceptible, taciturne, et même dangereux à manier par l'officier qui l'avait sous ses ordres.

Si Manuel ne les prenait ni pour des sauvages ni pour des imbéciles, il admettait – à l'instar de tous les Européens présents dans les tabors – n'avoir rien en commun avec eux. Impossible de partager quoi que ce soit, hors cette camaraderie factice que fabrique la guerre. Lorsqu'ils le lui demandaient, Cortès rédigeait les lettres destinées à leur famille, s'efforçait de régler tel ou tel litige, il lui arrivait même de manger ou de chanter en leur compagnie, mais sans pouvoir s'empêcher de les considérer comme de grands enfants, tels qu'ils étaient décrits dans la *Notice*.

91

Quand le tabor se déplaçait d'un lieu de bataille à un autre, les goumiers transportaient en convoi ce qu'ils avaient volé dans les fermes environnantes, moutons et chèvres surtout, et à dos de mulet la quincaillerie de chandeliers et de ciboires qu'ils pensaient pouvoir ramener chez eux. Ils n'avançaient que chargés de leurs trophées, dans un désordre brinquebalant et coloré d'armée antique.

L'idée ne serait jamais venue à Manuel de se lier à l'un de ces mercenaires d'un autre âge. Le seul avec lequel il avait un comportement qui aurait pu ressembler à de l'affection, c'était Ali Belloul, le muletier, celui qu'un gradé facétieux avait baptisé « Libellule », si bien que tout le régiment ne l'appelait que de cette façon. C'était un vieux type d'au moins cinquante ans, un vétéran algérien de la Première Guerre dont nul ne savait comment il s'était retrouvé dans les tabors. Il aurait dû rejoindre les tirailleurs, ou même rester chez lui, vu sa classe d'âge. On racontait qu'il s'était engagé pour ne pas être séparé des mules réquisitionnées chez lui par l'armée française. Il avait suivi ses brèles... Vrai ou faux, c'était un magicien : Manuel l'avait vu calmer une bête à moitié folle rien qu'en posant son front contre le sien.

Son régiment n'avait avec les Américains que des contacts épisodiques. Ils se voyaient parfois, quand leurs bivouacs de repos étaient proches, échangeaient des cigarettes, des rations. De petits trafics s'organisaient. Soucieux d'envoyer des subsides à leurs parents restés au pays, les goumiers ne reculaient devant aucune rapine. Chaussures, caleçons, toiles de tente, revolvers, pneus, carburateurs, et jusqu'à des jeeps étaient subtilisés aux Anglais ou aux Américains, puis revendus, souvent à leurs propriétaires qui n'y voyaient que du feu. Les autorités militaires offrant cinq cents francs par prisonnier capturé, les goumiers s'en firent une spécialité. Et comme certains GI ne rechignaient pas à les leur racheter au prix fort pour s'attribuer l'honneur d'un fait d'armes, il y eut même une bourse clandestine avec valeurs et cotations selon le grade des captifs : un capitaine ou un *Oberstleutnant* rapportait près de deux mille francs à son heureux tuteur ! L'argent de ces combines venait s'ajouter au butin que les goumiers prélevaient sur les prisonniers ou glanaient sur les morts après chaque bataille. À condition de ne pas toucher aux lettres ou aux papiers d'identité, on leur avait permis de s'approprier les menus objets qu'ils jugeaient négociables. La préférence allait aux bijoux en or et en argent, mais ils raflaient aussi les montres, les briquets ou toute pièce d'équipement de qualité supérieure. Les plus habiles d'entre eux amassaient ainsi de petites fortunes dont ils ne faisaient pas mystère auprès de leurs camarades. Ils ne s'en séparaient jamais, même durant les attaques, ce qui n'échappait à personne. Lors d'une opération de secours, en plein combat, l'un des brancardiers avait insisté pour aller chercher un goumier dont le corps se trouvait sous le feu d'une mitrailleuse. Pas la peine, avait dit Manuel après l'avoir observé à la jumelle :

mout[1], il a les tripes à l'air... C'est Khaled, toubib, on peut pas le laisser comme ça ! Bravant les tirs de l'ennemi, l'homme avait progressé lentement jusqu'au cadavre, fouillé un instant sa djellaba et réussi à revenir avec les trente mille francs de son copain. Ç'aurait été dommage de perdre ça, non ? s'était-il contenté de chuchoter en fourrant la liasse gluante dans ses habits.

92

Ali n'avait plus l'âge pour ces facéties, mais il n'était pas en reste. Son moyen de gagner de l'argent tenait tout entier dans le défi proposé à chaque militaire qui ne connaissait pas son truc : Je te parie dix francs que je suis capable de me mordre un œil. Une fois le billet sorti, Ali extrayait son œil de verre et le coinçait entre ses dents. Rires et exclamations, la victime payait de bonne grâce. Et maintenant, disait Ali, je te parie cinquante francs que je me mords l'autre œil ! On acquiesçait, bien sûr. Ali sortait alors son dentier et le faisait cliqueter devant son œil valide. *Jib el flous*, mon frère, disait-il, donne le fric, tu t'es fait avoir...

[1] « Mort. »

93

Vers la fin mars, les mauvaises nouvelles colportées par « Radio Bobards » se vérifièrent. Monte Cassino tenait ferme. Ils avaient tous vu le déluge de bombes larguées sur la montagne et la petite agglomération qui verrouillaient la défense allemande. Pire qu'à Verdun, pire qu'à Stalingrad, pire que tout ce qu'on pouvait imaginer. Des hordes d'Américains, de Néo-Zélandais, d'Indiens aguerris s'étaient lancés en vain à la conquête de ce piton. Terrés dans les ruines du monastère de Saint-Benoît, une division de parachutistes héroïques avaient fait plus que les tenir en échec, ils avaient anéanti plusieurs milliers d'hommes et remporté une victoire défensive indubitable. Malgré les succès du corps expéditionnaire français, la campagne d'hiver s'achevait sur ce constat lamentable : l'armée de débarquement américaine chargée de prendre à revers la ligne Gustav était encerclée à Anzio, et les forces alliées, bien que trois fois supérieures en nombre à celles des ennemis, se faisaient massacrer les unes après les autres sur les pentes de Monte Cassino.

Accroché sur ses positions, le long du fleuve Rapido, le 11e tabor s'épuisait. Les hommes attaquaient, prenaient un point d'appui, tenaient à peine quelques heures avant de reculer, gagnant trois kilomètres pour en perdre cinq dans la foulée.

Un éclat d'obus providentiel extirpa Manuel de ce

rabâchage de mort et de misère. Blessé à la fesse, il fut envoyé en convalescence à Pozzuoli, sur la côte amalfitaine, avant de retourner à Naples pour une huitaine de jours.

94

Celui que nous retrouvons maintenant au Shaker Club de l'hôtel Miramare, sur le promontoire de Santa Lucia, n'a pas grand-chose à voir avec le jeune homme qui arpentait la ville, nez au vent, quatre mois plus tôt. Ni même avec ce traîne-savate que l'explosion avait renversé, tandis qu'il saupoudrait de sulfamides la plaie affreuse d'un camarade. À l'aise dans sa « tenue réséda », son uniforme de sortie américain, il fait le beau, coupe de *spumante* à la main, auprès d'une splendide créature aux cheveux noirs. Il est assis sur une fesse à un tabouret du bar, et réprime une grimace de temps à autre, genre « j'ai beaucoup plus mal que mon attitude et l'emplacement de ma blessure ne le laissent supposer ». L'insigne bleu et or épinglé sur sa chemise attire les regards, lui vaut des commentaires admiratifs : c'est celui du 4e GTM, avec son profil de goumier à turban noir qui rappelle la coiffe ondoyante du bateleur. Tout le monde est au courant des exploits de son régiment. Comme ses compagnons de guerre, Manuel parle avec nonchalance de ces « putains de *Minen* », il dit « oui, on a pas mal morflé sur la Mainarde »,

« Cassino ? Laisse tomber, c'est un enfer, on n'y arrivera jamais de la manière dont les Ricains s'y prennent », ou « la baraka on l'a ou on ne l'a pas. Le seul problème, c'est qu'il y a toujours un moment où on ne l'a plus ». Des choses comme ça, qui n'impressionnent que les filles ou les bleu-bites et disent en l'effleurant ce que la langue se refuse désormais à formuler. Celle qui frétille auprès de lui et l'appelle *bello bambino* à tout bout de champ, il l'a levée dans un club de canoë, sur la plage Speedy, en lui offrant l'apéritif. Ça suffit, il n'y a pas besoin de plus, quelle que soit la trogne de celui qui paye. Avec Petitpoisson, un copain de Bel-Abbès qu'il a retrouvé au Minerva, l'hôtel où sont logés les officiers et où ils n'en reviennent pas de dormir dans des draps et de pouvoir se laver à volonté, ils se sont promis qu'ils coucheraient chaque soir avec une Italienne différente. Tous les jours on change, mais pas des putes, d'accord ? Ils avaient tapé cinq, et c'est ce qu'ils faisaient, bien qu'il fût difficile de faire le tri, tant elles se donnaient toutes pour une simple boîte de fruits au sirop. Les filles de la haute, avant les pêches ou la tablette de chocolat, il fallait d'abord les inviter ailleurs, à l'opéra, au cinéma, dans les restaurants... Mais au coût de la vie en Italie, et avec la solde que leur donnait le vaguemestre toutes les semaines, ils étaient rois ! De vrais millionnaires ! Ça n'arrêtait pas : *La Tosca*, au théâtre San Carlo, *Così Fan Tutte* au cinoche, et en italien – un film qui n'avait rien à voir avec Mozart mais dont ils n'ont regardé que les premières images, occupés ensuite à bécoter leur compagne du moment –, la descente aux catacombes delle Fontanelle, Qu'est-ce qu'ils ont eu comme pertes, les malheureux ! avait plaisanté Petitpoisson en découvrant les milliers de crânes empilés sur les parois de la grotte, la virée à Ischia en bateau à voile, les orgies de langoustes, « tous les jours des langoustes ! », le big band de l'Arizona, ce night-club où ils dansaient le swing, le swing, le swing pour s'exploser la tête et couper un instant les circuits de la mémoire.

Le soldat Cortès est un peu complexé par sa petite taille, mais c'est vrai qu'il ressemble à Tyrone Power. Il en cultive la coupe lisse et gominée, tout en imitant Humphrey Bogart dans sa façon de tenir une cigarette. Il fait un signe de tête pour dire à son copain de regarder sur sa gauche : Joséphine Baker est attablée à dix mètres d'eux, avec une flopée d'officiers qui la mangent des yeux. Petitpoisson le pousse du coude : Viens, on va sur la terrasse. Manuel le suit, et ils font en sorte de passer derrière elle, assez près pour sentir son parfum et apercevoir sur sa nuque rasée des gouttelettes de sueur.

95

Dehors, c'est presque la nuit. Le Vésuve est en éruption depuis trois jours. Accoudés à la rambarde, ils sont comme au spectacle pour admirer le phénomène. On dirait un soutien-gorge avec un sein qui fume, dit Petitpoisson. Flanquée de son fantôme éteint, la silhouette du volcan ne cesse de dégueuler d'énormes bouillons de fumée, des cumulus gris-noir, traversés d'éclairs, qui s'épandent, se dilatent, rejoignent la nuit, semblent la provoquer. Il y en a pour dire que les bombardements sont la cause de ce réveil, que la terre vomit les coups à l'estomac qu'elle encaisse depuis des mois. Tout est étrangement calme. Le vent favorable emporte au loin cendres et turbulences. Une semaine de rêve... Mais quand il ferme les yeux, Manuel voit des boyaux à l'air, des fémurs coupés net sous la scie, des visages défoncés qui fuiront à jamais leur moindre reflet dans un miroir. Allez, on bouge, dit-il en jetant son mégot vers la mer, c'est la dernière nuit, faut qu'on fasse danser les filles !

96

J'ai levé un bras sans crier, sachant qu'on ne m'entendrait pas. Les deux bras, si je dois dire la vérité, mais le navire est passé, avec cette courbe dans son sillage montrant qu'une fois de plus il s'était détourné de quelques degrés pour m'éviter. Accoudée au bastingage, sur la poupe, une touriste matinale m'a rendu ce qu'elle a pris pour un salut. Si j'ai bien vu, elle avait un bonnet de père Noël sur la tête. Qu'elle ait pu croire un seul instant que je prenais du plaisir à nager au mois de décembre me stupéfie !

97

Mon père prétend n'avoir jamais eu peur, sauf cette fois où, face contre terre, au plus fort d'un barrage de mortiers, il avait perçu un impact sur le côté, puis senti un liquide s'écouler par saccades de sa cuisse. Là oui, une vraie pétoche, le temps de réaliser que ce n'était pas son artère fémorale mais sa gourde qui se vidait. À bien y réfléchir, une autre fois aussi, le jour où les Américains s'étaient trompés de cible et avaient largué sur eux des centaines de bombes destinées à Cassino. C'est tout. Étrange, après tant de combats et de folie meurtrière. Pourtant, je ne crois pas qu'il fanfaronne ni qu'il se mente à lui-même. Il m'a raconté assez d'anecdotes où il ne se montre pas à son avantage pour que je puisse le soupçonner de jouer le bravache. Quelle que soit la raison de son détachement – inconscience immature, dédication à son devoir de médecin et à l'urgence de sauver des vies, banal orgueil d'hidalgo qui peut tout avouer sauf ce qui risquerait de mettre en doute sa virilité, ou même cocktail des trois –, je ne suis pas capable de dire ce qu'il a éprouvé. La réponse est peut-être tout entière contenue dans sa façon quasi religieuse de fermer les yeux lorsqu'il écoute *Caravan* de Duke Ellington ou n'importe quel morceau de Django Reinhardt.

98

Que cette absence de peur me paraisse anormale, voilà tout à coup ce qui pose problème.

Tu compliques inutilement… Dans la guerre, celle-là comme toutes les autres, il n'y a jamais eu d'espace pour la peur : ou l'on fait ce qui s'impose à nous pour survivre, ou bien l'on devient fou. La mort, la blessure ou la dépression, ce sont les seuls moyens de rentrer chez soi.

Heidegger a raison, bien sûr. J'allais oublier le général Patton injuriant et giflant des soldats souffrant de stress post-traumatique avant de les renvoyer au front : des hommes, explique-t-il, qui utilisent l'hôpital pour échapper à la bataille, des mauviettes qui discréditent leur armée et doivent être traduits en cour martiale pour lâcheté devant l'ennemi. Ces hommes azimutés par la terreur, il y en avait plein les hôpitaux. Des types devenus sourds, aveugles ou muets sans raison physiologique, des épaves tremblantes, prostrées, tordues de tics. Vingt pour cent des pertes non mortelles chez les Américains et les Britanniques, cinquante pour cent lors du seul débarquement d'Anzio ! Officiellement, la circulaire d'avril 1943 du général Bradley était très explicite sur ce point : pour maintenir le moral de l'armée il ne fallait plus parler de troubles psychologiques, ni même de *shell shock*, la mystérieuse « obusite » des tranchées, mais d'« épuisement ». Dans l'armée française, c'était beaucoup plus simple : faute de service psychiatrique – le premier n'apparaîtrait que durant la bataille des Vosges – il n'y avait aucun cas recensé de traumatisme neurologique. Des suicidés, des mutilations volontaires, oui, bien sûr, des désertions, des simulateurs, des bons à rien de tirailleurs ou de goumiers paralysés par les *djnouns*[1], incapables de courage physique et moral, ça arrivait

[1] « Djinns ».

régulièrement, des couards qu'il fallait bien passer par les armes lorsqu'ils refusaient de retourner au combat, mais des cinglés, jamais. Pas chez nous. Pas chez des Français qui avaient à reconquérir l'honneur perdu lors de la débâcle.

Mon père m'a raconté l'histoire d'un sous-officier qu'il avait vu se mettre à courir vers l'arrière au début d'une attaque et ne s'était plus arrêté durant des kilomètres, jusqu'à se réfugier à Naples où on l'avait retrouvé deux semaines plus tard. Et de ceux-là, aussi, faisant les morts comme des cafards au premier coup d'obus. J'ai pour ces derniers une grande compassion, tant je retrouve l'attitude qui m'est la plus naturelle dans mes cauchemars de fin du monde. Faire le mort, quitte à se barbouiller le visage du sang d'un autre, et attendre, attendre que ça passe et ce moment où l'on se relèvera vivant, quels que soient les comptes à rendre par la suite.

Sommes-nous si peu à détester la guerre, au lieu de secrètement la désirer ?

99

Je suis fatigué... La résurgence de souvenirs qui ne sont pas les miens tourne au ridicule.

Tyrone Power... Photo en main, la seule que mon père ait conservée de lui en uniforme, je vois à peine ce qu'il veut dire – et en anticipant, comment cette vague ressemblance a pu le servir lors de sa rencontre avec ma mère. Mais il y aurait une sorte d'imposture littéraire, et de fainéantise, à se contenter d'une similitude avec tel ou tel acteur. C'était un jeune homme de vingt ans, cheveux tirés en arrière, semblable à tous ceux de sa génération, un Espagnol blanc de peau, les traits marqués, l'œil charbonneux. Manuel Cortès, « le seul », comme on voit cette chose étrange précisée sur certains profils Facebook victimes d'un piratage.

Je devrais être focalisé sur ma survie, mais non. Voilà qu'au lieu de voir défiler ma propre existence, c'est celle de mon père qui m'obsède ! C'est vraiment du grand n'importe quoi. L'impression que mon cerveau puise au hasard dans le stock d'images et de contenus qu'il a bien voulu conserver en magasin. Une machine à glaces italienne qui mélange à sa guise les parfums, marie la carpe et le lapin : un peu de ceci, un peu de cela, le levier s'abaisse, et dans la seconde un entortillement illusoire vient prendre forme sur le cornet, suant déjà sous le soleil, dans l'espoir qu'on veuille bien l'ingurgiter. Dès qu'on se mêle de raconter, le réel se plie aux exigences de la langue : il n'est qu'une pure fiction que l'écriture invente et recompose.

100

Je n'ai pas fait le lien sur le moment, mais l'éruption du Vésuve à laquelle mon père a assisté marque la fin d'un cycle commencé au XVIIe siècle, cycle dont le jésuite Athanasius Kircher a vu et décrit en 1638 l'un des premiers épisodes catastrophiques. *N'imite pas les imprévoyants et les cupides*, dit la stèle érigée au pied du volcan à la suite de ce désastre, *ceux pour qui la maison et les biens comptent plus que la vie ; si tu es sensé, souviens-toi de ce qu'elle relate ; quitte sans tarder ton foyer et tes biens. Va-t'en !*

Heidegger a beau dire qu'il s'agit d'une coïncidence dénuée d'intérêt, je ne peux m'empêcher d'en éprouver un vertige désagréable, celui d'un temps circulaire, itératif, où reviendraient à intervalles fixes les mêmes fulgurances, les mêmes conjonctures énigmatiques.

Les Étrusques savaient lever les ambiguïtés de la foudre, qu'elle vienne du ciel ou qu'elle provienne du centre de la Terre. Foudre infernale, foudre claire, foudre sèche, foudre fumeuse, foudre pénétrante qui tombe dans un lieu fermé, foudre exclusive, celle qui frappe un lieu déjà foudroyé. Consignées dans les *Livres fulguraux*, des instructions précises permettaient d'en interpréter les signes. Foudres fatidiques, avant-courrières de joie et de malheur, foudres médiatrices, foudres d'entérinement après une décision, foudres de mise en garde, dites pestilentielles, foudres fallacieuses qui n'ont que l'apparence du danger, foudres discordantes, qui réduisent à néant les menaces d'éclairs précédents, foudres péremptoires qui confirment ces mêmes menaces, foudres privées, avec un pronostic de bonheur ou de tristesse valable pour dix ans, foudres publiques, dont les prédictions courent sur trente ans, foudres royales, qui frappent tel ou tel symbole d'un état libre et lui promettent, dit Sénèque, la dictature.

Foudres vaines et absurdes, enfin, qui n'avaient aucun sens et faisaient beaucoup de bruit pour rien.

Tu as ta réponse, ironise Heidegger.

Sans doute, mais il y a dans cette nomenclature de l'éclair quelque chose qui fait signe et me tétanise. « Le tonnerre tombe où il veut, et quand il veut, ai-je lu autrefois. Mais les sommets l'attirent. Certains lieux – certaines âmes – sont des nids d'orages. » Dégradé une fois, une seule, par la guerre, un paysage la reproduit infiniment. Il faudrait se pencher sur cette malédiction des lieux.

Projet : Réformer les paysages. Les guérir de leur faculté, parfois, à provoquer la foudre. Bannir toute architecture qui ne soit pas une combinaison d'espaces thérapeutiques.

101

Le froid circule sous ma peau comme une fièvre à l'envers ; je ne suis plus que ce rétrécissement, cette cristallisation douloureuse de l'ensemble de mes cellules. Des processus s'y déroulent dont chacun des frissons qui parcourent mon corps exprime la malfaisance. Je sens, je sais qu'un phénomène de l'ordre du retrait commence à restreindre mes facultés mentales tout en me laissant croire qu'il les décuple. J'ai déjà eu cette sensation, il y a très longtemps, la première fois qu'une drogue m'a emporté assez loin de moi-même pour en concevoir un affolement coupable, hors de proportion avec la dose infinitésimale de ce que j'avais absorbé.

Le ferry a continué sa route, il n'est plus qu'une salissure vaporeuse sur l'horizon, mais c'est comme si j'avais un télescope à la place des yeux. Par les hublots des superstructures, je pénètre dans le poste de commandement, je vois le timonier, impassible devant le nuage de points d'un écran radar, je peux même distinguer les cernes qui assombrissent son regard. Cette perception est physiquement impossible, je suis conscient de la chose, mais j'en accepte l'offrande avec le sentiment de comprendre enfin ce qu'il y a d'artificiel et de morbide dans l'aptitude des mystiques à détailler leur paradis.

Provoquée par le sillage du navire, une série de vagues chahute mon bateau. Je m'accroche à la corde tandis que la proue se soulève, refuse, hennit presque. Le safran ballotte sur son axe, grince et tape sur le tableau arrière avec un bruit de volet bancal, d'éolienne rouillée, de ranch à l'abandon.

Égorgements rapides sous le silence de la lune

102

— Quelqu'un veut bien fermer cette fichue porte ? Ça commence à me taper sur le système…

C'est le commandant Peyrebrune qui a parlé. Un troufion s'empresse d'obéir. La porte déglinguée ne cesse de s'ouvrir à cause des courants d'air. Le vent est faible, une légère brise qui descend des collines, mais il fait si chaud que toutes les fenêtres sont grandes ouvertes.

Castel del Piano, 19 juin 1944. Ils ont pris le village ce matin, après dix-huit heures de combats, et Peyrebrune a logé ses officiers dans cette maison bourgeoise qui jouxte le couvent. Non sans mal, car elle a souffert des tirs d'artillerie. Il a fallu évacuer six cadavres de soldats allemands qui empestaient, sans compter un pied chaussé suspendu aux branches d'un lustre chandelier. À peine arrivé, le commandant a envoyé un goumier avec mission de rapporter deux ou trois poulets pour changer l'ordinaire. Ce dernier n'a réussi à voler qu'une vieille pondeuse dans les poulaillers dévastés ; grand seigneur, il a offert la pintade qu'il transportait avec lui depuis six jours. Le cuistot les a rajoutées à sa popote ; un fumet de viande rôtie masque plus ou moins l'odeur de charogne qui flotte encore entre les murs.

Dans le salon encombré d'armes, de bardas, de caisses de munitions, les hommes se reposent en attendant le repas. Maillavin ronfle sur un canapé à demi éventré, Gimenez se rase devant ce qui reste d'un grand miroir au-dessus de la cheminée, Levitas, la mine hâve, prend fiévreusement des notes sur son carnet, d'autres somnolent sur les fauteuils. Peyrebrune et Manuel sont assis de chaque côté d'une cantine métallique surélevée par des moellons. Ils jouent à la crapette avec des cartes italiennes où bâtons, épées, coupes et deniers remplacent les enseignes habituelles, enchaînant les parties, les yeux cernés, la tête vide. En plus du bruit de porte, mais aussi répétitifs, on entend des hurlements de femmes, suivis parfois d'un claquement de fusil et du silence consterné qui le prolonge.

— Excusez-moi, mon commandant, intervient Levitas, vous vous rendez bien compte qu'ils sont en train de violer toutes les religieuses du couvent ?

— Et que voulez-vous que j'y fasse, capitaine ? Que je fusille mes propres hommes ?

— *Levitas levitatum, omnia Levitas*, dit Manuel avec la seule intention de faire de l'esprit.

— Je ne suis pas patron ici, vérole de bon Dieu,

mais je le serai peut-être ailleurs !

— Vous vous croyez où, Levitas ? C'est la guerre. Vous comprenez ça, oui ou merde ? Crapette ! Ah, ah ! petit toubib, je t'ai eu cette fois !

— Si c'est cela la guerre, lâcha le capitaine en retournant s'asseoir, ce sera sans moi.

Manuel fait mine de se concentrer sur ses cartes. Son regard s'est troublé, il ne voit plus dans son jeu que des faisceaux d'épées sanglantes. Mais voilà le cuistot avec un plat où il a disposé la viande :

— À table, les gars ! Je vais chercher les assiettes.

— Tu en as gardé pour toi, au moins ? demande Peyrebrune en ramassant les cartes.

— Vous en faites pas, mon commandant, j'en aurai au cul avant que vous en ayez à la bouche !

103

À son retour de Naples, Manuel avait rejoint son tabor, mis en attente avec les autres forces françaises dans la zone de Sant'Elia. Dès le début du mois d'avril, tous ces éléments plus ou moins requinqués furent déplacés en grand secret à l'ouest de Cassino, sur la tête de pont du fleuve Garigliano où ils relevèrent les Britanniques. Sachant que l'ennemi surveillait les troupes nord-africaines à cause de leurs exploits durant l'offensive d'hiver, on troqua leurs casques américains contre des casques anglais pour donner le change, et leur transfert fut masqué par un écran compact de fumigènes. Toutes les pistes avaient été imbibées d'huile de vidange de façon à éviter la poussière levée par le passage des chars ou des mulets. C'est durant cette manœuvre que Manuel avait pu observer de plus près le monastère de Monte Cassino, toujours tenu par les Allemands. On aurait dit une ruine artificielle, taillée à dessein dans le granit pour servir d'arrière-plan à un enfer de Jérôme Bosch.

L'ordre ayant été donné de ne pas se faire remarquer, le mois d'avril fut plutôt tranquille, tout entier dédié à acheminer de l'artillerie aux abords du fleuve et à peaufiner le plan d'attaque du général Juin : rompre le front là où les Allemands ne l'attendaient pas, en s'aventurant par les monts Aurunci, réputés imprenables. Une folie digne d'Hannibal. Vue de Sessa Aurunca où Juin s'était installé avec son QG, cette chaîne montagneuse avait en effet de quoi impressionner : le mont Faito, le Cerasola, l'Ornito, le Garofano, l'Agrifoglio et, le plus haut d'entre eux, le Majo, culminant à neuf cent quarante mètres, dessinaient une suite chaotique de crêtes acérées surmontant des pentes abruptes, des glacis pelés, impraticables, un désert de roches agressives et dénué de routes. Et derrière ce massif, il y avait celui du Petrella, son double inaccessible avec plusieurs sommets au-dessus de mille deux cents mètres. Sur ces défenses naturelles, beaucoup plus faciles à tenir que celles de Monte Cassino, les Allemands avaient quand même établi une ligne solide de retranchements, mais persuadés que l'ennemi tenterait de passer par les vallées, ils n'y avaient maintenu que quatre divisions et négligé les réserves de soutien.

Le 11 mai 1944, c'est vers cette formidable barrière que les forces françaises s'étaient lancées. En pleine nuit, à la lueur verdâtre des fusées éclairantes et sous le dôme de feu des centaines de canons censés protéger leur marche, tirailleurs et spahis avaient percé la ligne Gustav au prix d'actes de bravoure inouïs. Suivant à la lettre le plan d'attaque, les tabors s'étaient alors engouffrés dans cette brèche avec pour mission de foncer au travers du Petrella et de s'ouvrir une route vers Rome.

104

Ils étaient passés avec le sentiment d'accomplir l'impossible, accrochés à la queue des mules sur d'étroits sentiers de chèvres bordés de précipices – attention, brèles ! c'était souvent qu'ils tombaient, roulant sur des centaines de mètres avec leur charge sur le dos avant de s'écraser sur les rochers, émiettant le canon de 75 démonté ou la mitrailleuse lourde qui leur feraient défaut quelques heures plus tard –, enlevant les unes après les autres toutes les cimes du massif, le Petrella lui-même, dès le 15 mai, le Revole, le 16, puis le Capriola, le Coculo, subsistant durant plusieurs jours sur leurs propres ressources, sans eau, sans ravitaillement. Tribus en marche, poursuites, embuscades, égorgements rapides sous le silence de la lune : jamais ces soldats du diable ne justifièrent leur surnom avec tant de férocité surnaturelle.

Débouchant sur la vallée de la Piana, le 11e tabor avait surpris et détruit deux bataillons de panzers avant de s'emparer du Faggeto, le 18, de La Fontana, le 19, et d'entrer le 20 dans Campodimele. Après la conquête du village, Peyrebrune s'enferma dans la mairie avec ses officiers et laissa faire la troupe.

— Si je leur interdis la razzia, avait-il expliqué à Manuel, ils vont m'exploser dans les pattes. Je ne pourrais plus rien en tirer. C'est ce que les recruteurs leur ont promis, c'est pour ça qu'ils ont signé, pas pour nos beaux yeux...

Les goumiers s'étaient déchaînés.

Ils pénétraient dans les maisons pour vérifier si l'on n'y cachait pas quelque soldat allemand, fouillaient, pillaient, volaient jusqu'aux alliances, quitte à couper le doigt boudiné qui ne permettait plus de la faire glisser, puis ils violentaient les femmes, jeunes ou vieilles, les fillettes, les femmes enceintes, parfois même les garçons ou les hommes, ils faisaient ça en groupe, passant dix fois, quinze fois, vingt fois sur la même victime, mordant les chairs jusqu'au sang, frappant, tabassant jusqu'à l'abandonner à moitié morte ; celles qui résistaient ou tentaient de s'enfuir, on leur tirait dans les guiboles avant de les violer, c'était plus facile pour leur écarter les cuisses ; on en avait retrouvé une pendue par les pieds et dépecée comme un cochon.

Les autres tabors n'étaient pas en reste. Ni les tirailleurs, ni les spahis. Mêmes horreurs à Esperia, où le curé des Trinitaires fut sodomisé toute une nuit dans son église pour avoir tenté de protéger ses ouailles, mêmes atrocités à Spigno Saturnia, à Lenola, Vallecorsa, Castro dei Volsci, Cerasola Polega… La liste était aussi longue que le parcours du corps expéditionnaire français en Italie.

105

Comme le général Guillaume, Peyrebrune connaissait ses goumiers depuis la campagne de Tunisie. Courageux jusqu'au sacrifice, irremplaçables en terrain montagneux, ces hommes ne combattaient qu'avec l'espérance d'un butin de guerre. Dans leur esprit, soutenait-il, les femmes relevaient de cette récompense, et somme toute, ils ne faisaient avec elles que ce que les soldats italiens avaient infligé aux leurs en Afrique du Nord. Et puis face aux Boches, il valait mieux passer pour des barbares que pour des dégonflés.

Manuel était présent lorsque le maire d'un village dévasté par les goums vint se plaindre auprès de son commandant. *Tedeschi cattivi*, s'était-il emporté, *ma Marocchini molto piu, molto, molto piu*[1]*!* Ce sont des

[1] « Les Allemands sont mauvais, mais les Marocains le sont encore plus ! Beaucoup, beaucoup plus ! »

irréguliers, lui avait répondu Peyrebrune, je n'ai pas de prise sur leur comportement. Six d'entre eux sont morts aujourd'hui pour vous « libérer ». Cachez vos femmes, c'est ce qu'il y a de mieux à faire.

Préoccupés dès les premiers jours par ces débordements, les Alliés avaient recommandé aux officiers français de prendre des mesures disciplinaires pour faire respecter les civils par les troupes indigènes. Juin s'était fendu d'un communiqué très ferme de rappel à l'ordre, quelques tirailleurs pris en flagrant délit de viol et de pillage avaient été fusillés, mais les abus continuèrent de plus belle.

À vrai dire, ils avaient tous d'autres chats à fouetter. Sous la terrible poussée des troupes coloniales françaises, la rupture était enfin effectuée.

106

À échelle d'homme, celle de Manuel, ça bouge partout, ça tonne, ça hurle, ça invoque le Dieu tout-puissant à chaque seconde qui passe, tandis que loin derrière les bulldozers tracent pour les tanks des pistes aux noms de bêtes sauvages, ce sont des marches incessantes, à l'amble vers le nord, quoi qu'il arrive, en chantonnant les dents serrées « C'est nous les Africains » ou d'autres rengaines écrites pour marquer le pas, répéter qu'on existe tant qu'on n'est pas mort, qu'on marche, qu'on avance. Manuel stabilise les blessés, les étiquette, les nôtres comme ceux de l'ennemi sans distinction, étonné de découvrir des gosses de quinze ans au visage noirci par la bataille, des pionniers allemands dont personne ne s'attendait à les voir monter au feu si rapidement ; il y a maintenant toute une noria de brèles qui redescendent, chargés de morts et d'éclopés, au petit pas, des heures durant, vers les hôpitaux de campagne, ça se croise avec les réserves qui montent, c'est terrible de voir, et de si près, ce qu'on sera demain si le malheur continue de déployer ses ailes. Comme Peyrebrune fait confiance à son petit toubib, Manuel s'occupe aussi des transmissions. Seulement lorsque c'est nécessaire, bien sûr, mais cette fois les bonnes nouvelles pleuvent. Message d'« Auroch », alias général Guillaume : occupé à défendre les Aurunci, l'ennemi a cédé sur le front est, le drapeau polonais flotte sur Cassino ; message de Monsabert, indicatif « Belphégor » : les Amerloques commencent à dérouler leurs troupes le long de la mer Tyrrhénienne, ceux d'Anzio ont forcé le blocus et sont repartis à l'attaque, les Allemands rompent sur tous les fronts. Objectif : Rome !

Du 21 au 28 mai, le 11e tabor avait progressé à bride abattue au travers des monts Lepini, contrôlant les hauteurs de l'Appiolo, puis le mont Rotondo, avant d'investir Villa Santo Stefano et d'opérer le nettoyage en règle de Punta dell'Orticello. De crête en crête, il était ainsi parvenu jusqu'aux faubourgs de Rome. Les Allemands avaient quitté la ville dès le

4 juin, mais les troupes françaises reçurent l'ordre de patienter pour laisser l'honneur au général Clark d'y pénétrer le premier. Coup du sort ou juste châtiment de son orgueil, l'annonce du débarquement en Normandie éclipsa pour une bonne part le triomphe romain dont il rêvait.

107

Le 7 juin, toutefois, Manuel participa au défilé monstre qui fut organisé dans la ville. À cheval, et à la tête de sa section d'infirmiers, il emprunta la Via Labicana, passa devant le Colisée, puis le monument à Victor-Emmanuel II, continuant par le Corso Umberto, la Piazza del Popolo et la Via Flaminia. Mais il avait plu durant la nuit, et son canasson stoppait net à la moindre flaque d'eau comme s'il s'agissait d'un torrent à traverser. À chaque fois, Manuel manquait se retrouver à terre, ce qui ne contribuait que médiocrement à son allure martiale. Derrière lui, Ali Belloul se tenait les côtes.

—Dis-moi, toubib, l'avait chambré Levitas, il est malade ton cheval ?

—Non, pourquoi ?

—Parce qu'on dirait bien qu'il a un emplâtre sur le dos !

Un bel homme, Levitas, un fanfaron. Sa mère avait été tuée par la Gestapo, il s'était évadé de France via l'Espagne pour rejoindre l'armée française. L'un des rares qui ne faisaient pas la guerre comme une partie de foot, de ceux qui avaient une vraie haine de l'Allemand.

Et avec tout ça, des drapeaux français partout aux fenêtres, des cris de joie, des larmes de bonheur, à croire que ni le fascisme ni Mussolini n'avaient jamais existé.

Après le défilé, Peyrebrune ordonna à Manuel de prendre en charge le BMC, le bordel militaire de campagne. On avait réservé aux goumiers un plein camion de putes marocaines qui venaient d'arriver de Naples. Manuel les avait toutes visitées, rapport aux maladies vénériennes, et elles s'étaient mises au boulot. Ça se passait dans un autre Dodge devant lequel tout le tabor faisait la queue.

Ensuite, il avait eu quinze jours de permission. Quinze jours à l'Excelsior, l'un des plus beaux palaces de Rome. De nouveau la belle vie à courir les filles et à manger des pizzas !

108

Le 15 juin, il leur fallut repartir au combat. On les avait acheminés par la route au-delà de Montefiascone, jusqu'à rejoindre le corps de poursuite du général de Larminat, lancé aux trousses de la Wehrmacht au côté de la 5e armée américaine. Les Allemands reculaient, mais en ordre, protégeant leur retraite par des bouchons d'infanterie et d'artillerie, multipliant les champs de mines sur les axes de pénétration, détruisant les ponts, les routes, piégeant les maisons susceptibles d'être utilisées par l'ennemi, et jusqu'aux cadavres qui vous explosaient dans les bras au moment de les évacuer. Sous une chaleur épouvantable, ils avaient gravi des montagnes couvertes de taillis et de châtaigniers, délogé les Allemands de villages haut perchés, Arcidosso, puis Castel del Piano, où ils passaient la nuit.

Le capitaine Levitas mourut en première ligne le lendemain, menant ses goumiers à l'assaut d'une énième colline avec pour seule arme son stick de parade.

109

Ce même jour, Manuel s'enfonça dans la forêt, suivi par douze de ses hommes, pour chercher des blessés qu'on venait de lui signaler vers l'avant.

Canardée, la petite troupe se met à ramper, des obus tombent, un brancardier se fait déchiqueter sous ses yeux, si bien que Manuel perd le contact avec les autres. Désorienté, il décide de revenir sur ses pas pour aller au renseignement, mais après deux cents mètres voilà qu'il se fait rattraper par des goumiers lancés à l'attaque. Il était passé de l'autre côté des lignes ! Les soldats lui ayant indiqué où se trouvaient les tabors blessés, il avait réussi à les ramener. Comme sa gourde ne contenait que de l'alcool, il était rentré à moitié soûl, mais le général lui avait quand même fichu une citation à l'ordre de l'armée : « Pris sous un feu nourri, a gardé son calme et son sang-froid pour aller chercher des blessés derrière les lignes ennemies. »

110

Au soir de ce même jour encore, dans le village de Seggiano, Peyrebrune châtia un goumier surpris en train de violer une fillette. Après l'avoir fait déshabiller et attacher à un arbre de la place, il le cravacha lui-même durant de longues minutes jusqu'à le laisser pour mort. Le sergent Ahmed s'était ensuite adressé à ses hommes et leur avait rappelé les consignes à sa manière : Un blessé, tu ne dois pas le toucher, car il souffre ; une femme, c'est pareil encore plus ; un prisonnier, c'est comme une femme, il ne te fait plus la guerre ! Personne n'avait bronché, mais la leçon ne servit à rien, sinon à calmer un instant la mauvaise conscience des officiers.

Plus tard dans la nuit, on avait entendu brailler sous les fenêtres au son d'une musique orientale. C'était le même homme, cuité au kif, qui chantait en s'accompagnant d'une guitare fêlée : *I don't know why, aille, aille... She said good bye, aille, aille...* Pris par le chant, il tournait sur place comme un derviche. Ali et trois autres muletiers avaient dû batailler une demi-heure pour arriver à le faire taire.

III

Ils débouchèrent ensuite en Toscane, dans la vallée de l'Orcia, et tout en subissant de violentes contre-attaques, progressèrent à l'ouest de Sienne, favorisant la prise de la ville par les troupes de Monsabert.

Du 4 au 12 juillet, Peyrebrune conquit successivement les villages de Collalto, Quartaia, Abbadia et Picchema malgré de fortes défenses d'engins blindés. Opérant en liaison avec les unités américaines, il s'empara ensuite de la cote 527, ouvrant aux nôtres les portes de San Gimignano.

Le lendemain, une partie du tabor, dont Manuel et quelques infirmiers, fut mise au repos et envoyée à Sienne, le temps d'une prise d'armes sur le Campo à l'occasion de la fête nationale. Un enchantement ! Francophiles depuis le XVe siècle, les Siennois avaient pavoisé la ville aux couleurs des confréries de quartier et organisé un *palio* d'honneur en hommage aux troupes alliées. Sous les fenêtres noires de monde, des représentants de toutes les unités engagées vinrent se ranger sur l'esplanade, face aux généraux rassemblés devant l'entrée du Palazzo Pubblico. Turbans noirs et blancs, djellabas de différentes teintes, chèches rouges des tirailleurs sénégalais, coiffes empesées des infirmières, casques étincelants des Américains et des Anglais, noubas et cornemuses, sans parler de Moïse, lion soudanais, la mascotte du 8e RTS, que son maître promenait au bout d'une chaînette, tout dans ce spectacle avait l'apparence magnifique d'une enluminure médiévale. Au moment de la revue, c'est Juin lui-même qui avait épinglé sa croix de guerre sur le torse du soldat Cortès, tandis qu'au sommet de la Torre del Mangia, un grand drapeau tricolore claquait nonchalamment. Rien à voir avec l'accueil reçu à Rome, songea Manuel, cette population leur avait bel et bien ouvert son cœur.

À l'hôpital de Sienne où il fut logé, on lui montra quand même, entre autres joyeusetés, vingt-quatre adolescentes de douze à quatorze ans qui avaient mal résisté aux assauts d'amabilité des troupes victorieuses.

112

De retour sur le théâtre des opérations, le 17 juillet, Manuel se trouva engagé dans l'attaque menée par son tabor contre le village de Castel San Gimigniano. Lors d'une halte en pleine cambrousse, et tandis que la troupe jouissait d'une courte phase de répit, il s'éloigna de ses compagnons pour satisfaire un besoin lié, sans doute aucun, à l'aspect cadavérique du corned-beef ingurgité deux heures plus tôt.

Pour cette scène particulière, j'imagine sans peine le panorama où il s'enfonce. Manuel n'a jamais su distinguer un poireau d'un céleri, mais il croit reconnaître du blé – du seigle ? de l'avoine ? – dans cette masse blonde qui ondule sous le vent. Les collines basses alentour, plantées d'oliviers centenaires, semblent peintes de touches vert pâle sur fond de terre d'ombre ; au-delà, sur une petite éminence hérissée de cyprès, la tour carrée d'une ferme s'élève dans un ciel sans nuage. Tout cela est d'une sérénité infinie, réelle, incomparable avec celle qu'un homme peut ressentir par lui-même. Accroupi dans les herbes, pantalon baissé, Manuel se surprend à formuler cette évidence qu'il a moins devant lui un paysage cultivé qu'un paysage de Culture, au sens où chacune de ses perspectives témoigne de l'intelligence naturelle et du souci esthétique des hommes qui les ont façonnées.

C'est à cet instant que les blés s'ouvrent pour laisser passage à un jeune soldat allemand, mains en l'air, qui trouve enfin quelqu'un à qui se rendre. Manuel en reste bouche bée : il vient de faire un prisonnier ! Désarmé, comme tout médecin, il remonte son pantalon à la va-vite, prend son air le plus sérieux et fait signe à ce blondinet sorti de nulle part de le précéder en direction du campement. L'Allemand lui adresse un large sourire, rassuré, heureux d'en avoir terminé enfin avec la guerre. Il se met à avancer, toujours bras levés, lorsqu'il marche sur une mine et se volatilise dans une explosion assourdissante.

Le silence revenu, Manuel aperçoit un insecte à quelques centimètres de son visage, une mante religieuse immobile, indifférente et circonspecte, pattes antérieures menaçantes comme une créature de cauchemar hésitant à sauver le monde ou à l'anéantir. Puis il entend à nouveau le crépitement de l'été, sent sur sa peau la caresse de l'air. Essayant de se remettre debout, il s'affaisse aussitôt ; son pantalon est en charpie à hauteur du genou.

À l'hôpital où il fut soigné, un major lui assura qu'il serait d'aplomb d'ici deux semaines tout au plus ; on avait extrait quatre incisives de sa plaie avant de recoudre, mais il y restait des esquilles d'os minuscules qui s'enkysteraient à la longue, sans lui occasionner de gêne notable.

113

Dix jours plus tard, Manuel s'apprêtait à rejoindre son régiment lorsque Peyrebrune vint en personne lui annoncer la nouvelle : le corps expéditionnaire français était retiré du front italien avec ordre de se regrouper en vue d'un prochain débarquement en Provence. Toutes les unités y participeraient, sauf le 4e GTM qu'on renvoyait au Maroc pour y être reconstitué, et selon la rumeur, par stricte mesure disciplinaire. Le 11e tabor, c'était fini pour Cortès : on venait de le verser au génie, dans la 3e division d'infanterie algérienne, l'unité de son copain Petitpoisson. Peyrebrune ne s'était déplacé que pour lui faire ses adieux.

Étranglé par l'émotion, Manuel resta silencieux, s'efforçant de retenir ses larmes, puis se mit à chialer comme un enfant.

—Allons, allons, petit toubib ! avait dit Peyrebrune en lui secouant l'épaule avec affection, tu devrais sauter de joie, au contraire ; c'est bien la première fois que je vois quelqu'un lâcher le goum en pleurant !

114

Voilà que ça fait de drôles de nœuds dans ma cervelle, des connexions inattendues, malignes, et qui produisent des étincelles avec un peu de fumée fluorescente, comme sur un circuit électrique en surtension.

J'entends mon cœur baratter, sans savoir s'il va réellement beaucoup plus vite que d'habitude, mais en percevant sa double pulsation dans ma poitrine et sur mes tempes, ses efforts désespérés pour pomper plus de sang vers l'organe de commandement, tenter de sauver les meubles. Il se concentre sur l'essentiel, laissant à l'adversaire les marges du royaume ; mes mains, mes pieds sont devenus des choses gourdes qui se rapprochent du moignon, oui, l'impression d'être un singe dont on aurait plâtré les membres sans autre raison que de moquer ensuite sa balourdise.

Que cette machine est forte, comme elle résiste longtemps à tout ce qui la nie !

115

Mon père ne se souvient que de façon très approximative de son parcours. Il revoit les goumiers partant à l'attaque sur leurs chevaux, certaines blessures affreuses, il entend les cris des nonnes en train de se faire violer, mais c'est surtout le bon temps à Rome ou à Naples qu'il est capable de détailler, pas grand-chose d'autre.

Sa voix dans les écouteurs, quand j'ai retranscrit ses enregistrements : Je me suis battu contre des fantômes, j'ai obéi aux ordres. J'étais embringué sans conscience, et j'ai la conviction que la plupart étaient comme moi. Quand on a pris Marseille, j'ai retrouvé des copains de Bel-Abbès, dont un nommé Pujas, qui était un héros, un véritable héros des chars, et lui aussi faisait ça comme on joue aux cow-boys et aux Indiens, ou aux trappeurs quand nous étions dans les montagnes. Il n'avait aucune notion de son engagement. Et pour cause, il ne savait rien de la France, ni rien de quoi que ce soit. Comme les tabors eux-mêmes. Et je te dirais que ni Peyrebrune, ni les officiers que j'ai pu rencontrer n'étaient très différents. Qu'est-ce qu'ils foutaient là les tabors ? et les Algériens ? les Sénégalais ? les Gurkhas ? les Maoris ? Même chose quand je voyais les goumiers se livrer à des exactions, ça ne me faisait rien. Sincèrement, rien du tout. Jamais je n'ai eu en moi un sentiment de révolte, ou quelque chose d'approchant. Un jour, j'ai rencontré un copain, Piazza, qui était dans un autre tabor, et c'est lui qui m'a dit : Manuel, j'en ai marre, rends-toi compte, ils ont émasculé un type et ont violé sa femme enceinte devant lui !

116

Quoi qu'en dise mon père, ces crimes l'avaient suffisamment marqué pour qu'il s'en rappelle avec dégoût ; s'étonner d'y avoir été insensible, c'était se reprocher de n'avoir rien fait jadis pour essayer d'y mettre fin.

La vérité, pourtant, c'est qu'en matière d'exactions sur les populations civiles, goumiers et tirailleurs n'ont pas été plus sauvages que les GI lors de la libération de la France. Entre trois et cinq mille viols pour le corps expéditionnaire français en Italie, à peu près la même chose pour les soldats américains en France et en Angleterre, les Russes remportant la palme, avec cent vingt-cinq mille femmes violées dans la seule ville de Berlin.

Plus qu'une sordide décompensation de soldats épargnés par la mort, le viol a toujours été une véritable arme de guerre. La pire, sans doute, avec le rapt et la torture. On ne blâme pas Ajax d'avoir violé Cassandre lors de la prise de Troie, mais seulement de l'avoir forcée tandis qu'elle agrippait une statue d'Athéna, accident qui transformait sa juste récompense en une fâcheuse profanation.

Projet : Exécrer *L'Illiade* et son apologie trop séduisante de la fureur guerrière.

117

Quelles que soient mes demandes de précisions, les souvenirs de Manuel ne changent pas. Ils sont figés, comme une vulgate qui ne saurait souffrir ni suppression ni ajout.

Le plus étonnant, de mon point de vue, ce n'est pas qu'il se rappelle si peu de sa guerre, mais qu'il n'éprouve aucun désir d'en raviver la mémoire, ni même de l'enjoliver un brin. Mon père est hors fiction. Sans doute est-ce pour cette raison qu'il dit « n'apprécier que modérément » la littérature fantastique ou d'anticipation – doux euphémisme qu'il faut traduire par « haïr » ou « mépriser ». C'est un homme planté là, qui veut interagir avec son monde et se fait un devoir de n'être pas sujet aux rêveries. C'est pourtant le même qui conseille la lecture de *Madame Bovary* à ses petits-fils, le même dont la voix se casse en évoquant *Le Rouge et le Noir* ; le même aussi qui voudrait depuis toujours que je réécrive les pages que je lui fais lire en m'affirmant qu'elles sont impossibles à avaler, trop éloignées du réel ou de sa vraisemblance… Un Cronos qui adulerait ses enfants et s'efforcerait à chaque instant de les dévorer, pour leur dire jusqu'à plus soif à quel point il les aime, combien ils font partie de son propre corps.

118

Est-ce qu'elles ont vraiment existé, les choses dont on ne se souvient pas ?

Il t'a laissé des pistes, propose Heidegger, des indices pour que tu le rejoignes dans cette contrée perdue de sa mémoire.

Des pistes, j'en ai suivi quelques-unes avant de trouver la bonne. Celle de la Fouine, de la Girafe, de l'Écureuil… toutes ces routes dégagées au bulldozer pour acheminer les troupes vers les ponts jetés en hâte au-dessus du Garigliano. La piste Chamois menait au pont du Lion, la piste Lévrier au pont Jaguar. Le 11e tabor, celui de mon père, était passé entre les deux, par la piste Mouflon, celle qui conduisait au pont du Tigre.

Après cette première secousse, la réplique n'avait pas tardé. Pourquoi le Tigre ? m'étais-je demandé. Contrairement aux autres, ce pont n'avait pas été nommé ainsi par hasard, mais parce qu'il traversait le fleuve à l'endroit même où Pierre Terrail, seigneur de Bayard, s'était illustré plus de quatre cents ans auparavant.

Assez avez pu voir en autre Histoire, raconte Jacques de Mailles, *comment au Royaume de Naples, & vers la fin de la guerre qui fust entre Français & Espaignols, se tint longuement l'armée des dicts Français sur le bord d'une rivière dicte le Garillan, & l'armée des Espaignols estoit de l'autre costé*. À la suite d'une manœuvre de diversion espagnole, l'armée française abandonne le pont de bateaux qu'elle protège pour se porter en amont du fleuve et contenir l'ennemi, là où il feint de passer à gué. Flairant un piège, le chevalier Bayard rebrousse chemin et aperçoit deux cents cavaliers espagnols qui se disposent à traverser le pont. Il s'y précipite à cheval, se poste à l'autre bout et s'apprête à soutenir, seul contre tous, l'assaut des hommes d'armes. *Cela fait, on lui tailla beaucoup d'affaires, car si durement fust assailly que sans trop grande chevalerie n'eust su résister. Mais comme un tygre eschauffé s'accula à la barrière du pont, & à coups d'épée se défendit si très bien que les Espaignols ne savoient que dire & ne cuidoient point que ce fust un homme, mais une créature du Diable.*

119

Heidegger : Et tu fais quoi de ces bêtises ?

Je n'en sais rien, mais c'est comme si mon père et moi avions été au même endroit ; il y avait des fumigènes ; on voyait et on ne voyait pas. Ça clignotait, tu comprends ?

Le tigre ne proclame pas sa *tigritude*, soupire Heidegger, il fonce sur sa proie et la dévore.

Ça m'a fait rire, parce qu'à ce moment-là j'ai vu la première mouette s'abattre sur les sardines. Les autres n'ont pas tardé à suivre ; en moins de cinq minutes elles ont nettoyé tout ce qu'elles pouvaient à l'intérieur du bateau. C'est mauvais signe ; je vis, je bouge encore, mais ce que je suis devenu ne les effraye plus. À la fin, j'en ai vu une s'envoler avec le sac plastique sanguinolent, et haut dans l'air, il y en a eu plusieurs pour venir lui disputer cette pâture factice, cette rapine de loser. Je n'apprécie les mouettes – j'en prends conscience tout à coup – que très modérément.

TROIS DE BÂTON

Faites des trous, et restez dedans

120

Tassé avec les autres dans sa barge de débarquement, Manuel n'avait rien vu de Cavalaire ni des côtes varoises. Il y eut un moment où la troupe surmonta le mal de mer pour s'emparer des bidons de gnôle qu'un officier lançait au-dessus des casques ; une courte effervescence, un début de bagarre, puis le choc de la péniche sur la plage les avait tous déséquilibrés.

C'est un 16 août que le jeune Cortès mit pour la première fois les pieds en France ; il trouva le littoral quelconque, sans commune mesure avec celui d'Amalfi, de Naples ou de Positano. Si c'était ça la Riviera, ça ne cassait pas trois pattes à un canard ! Et comme il s'étonnait du peu de résistance allemande, Jean Launois, son nouveau chef, lui apprit que, durant la nuit, des commandos avaient réduit à néant les batteries du cap Nègre et des îles d'Hyères, mais surtout que les troupes ennemies se repliaient en toute hâte vers le Rhin. Il n'y avait que Toulon et Marseille qui fussent vraiment défendues. Le bataillon du génie ne serait pas en première ligne, hélas ; on n'avait pas besoin de sapeurs dans cette phase du combat : ordre du bellâtre de Marigny.

Le bellâtre, tout le monde le savait depuis l'Italie, au moins parmi les soldats, c'était Jean de Lattre de Tassigny, dit aussi « le roi Jean » ou « l'excité », dont on moquait moins les manières d'aristocrate que sa façon de s'entourer de jeunes efféminés. Marigny faisait allusion au théâtre, évidemment. Un « pédé », avait dit Petitpoisson, l'air navré, quand on avait appris qu'il remplacerait Juin à la tête de l'armée d'Afrique.

121

Le capitaine Launois était un polytechnicien chargé du service des eaux à la mairie de Paris ; il avait rejoint l'armée française en s'évadant par l'Espagne. Un homme très cultivé, qui épatait Manuel par sa connaissance de l'opéra et ses théories à l'emporte-pièce sur la hiérarchie des voix ou des instruments de musique : Au plus bas de l'échelle, disait-il, tu as toujours les rôles de ténor, Basilio, don Ottavio, don José, Alfredo, tous des ahuris ! Et la harpe, mon Dieu ! Il n'y a pas plus con qu'une harpe ! Un bahut à pédales que des femmes fragiles passent leur temps à réaccorder pendant tout le concert pour quelques notes séraphiques… Je te montrerai ça quand nous serons à Paname.

122

De Cavalaire à Marseille – en passant par les faveurs de l'envoûtante Lisette d'Albret, dans un cabaret de Toulon – ce fut presque une promenade. À pied, ou acheminée par des camions servant à transporter la bauxite, leur compagnie arrivait en fin de combat pour se charger du déminage et déblayer les routes. Les seuls Allemands que Manuel avait aperçus étaient toujours en train de se rendre, si bien que son unité médicale n'avait eu à traiter aucun blessé, mis à part quelques civils.

En Italie, pendant les séances d'information relatives au débarquement, on leur avait dit que les FFI les aideraient, qu'ils préparaient le terrain, etc. Mais une fois sur place, il avait vite fallu déchanter. Des incapables juste bons à tirer les marrons du feu, c'est tout ce qu'ils étaient. L'état-major ne les aimait pas ; Launois les tenait pour des voyous qui contrariaient le déroulement des opérations au lieu de les seconder. Du grand cinéma pour parader avec leur brassard, mais infoutus de s'impliquer convenablement dans la guerre. À Aubagne, un de leurs chefs était venu proposer ses services au commandant : Si vous voulez nous aider, lui avait dit Launois, bienvenue ! Engagez-vous dans l'armée française ; sinon je ne veux pas vous voir. Le FFI était reparti, sans même consentir à les guider à travers la montagne.

Quant aux Provençaux qui les accueillaient avec force démonstrations de liesse et de reconnaissance, Manuel eut le sentiment que c'étaient de braves gens, mais sans comprendre d'où sortaient les barriques de vin, les saucissons, les volailles et tous ces fruits qu'ils venaient leur offrir en permanence. À l'occasion d'un bivouac, Augarde, un officier de renseignements du 12e tabor, le dessilla en suggérant qu'il y avait eu sans doute bien des manières de « souffrir » de l'Occupation. Il en voulait pour témoignage la réflexion d'une bistrotière de Cadolive, pressée de lui raconter ses malheurs avec les Allemands :

— Ce qu'on a pu souffrir, peuchère… Tenez, pas plus tard qu'hier, ils prenaient encore le pastis à la table où vous êtes assis !

123

Toulon et Marseille tombèrent dès le 29 août. Après un défilé sur la Canebière et quelques jours de repos, le bataillon remonta par les Alpes jusqu'à Grenoble, déjà libéré par les Américains ; il gagna ensuite Luxeuil, où le front s'était stabilisé après la jonction avec les troupes débarquées en Normandie. Fortifiée dans le massif des Vosges, bastion naturel bloquant l'accès à la plaine d'Alsace, la 19e armée allemande s'arc-boutait désespérément pour empêcher les Alliés de franchir le Rhin.

Du 3 au 14 octobre, Manuel participa aux durs

assauts qui précédèrent la prise de Cornimont. Offensives sur le col du Broché et à la Vrille ; franchissement de la Moselotte, après avoir enlevé les villages de Vagney, de Bâmont, puis de Saulxures. Devant l'afflux de morts et de blessés, la « promenade » provençale ne fut bientôt qu'un lointain souvenir. Engagés aux côtés des unités d'infanterie, les sapeurs contribuaient aux actions de guerre, déminant, jetant ponts et ponceaux sur les torrents, dégageant les champs de tir, créant des pistes, ouvrant le chemin au lance-flammes. C'est ce qu'ils n'avaient cessé de faire depuis Marseille, durant leur remontée vers le nord, mais ils agissaient cette fois sous le feu ennemi et dans des conditions météo épouvantables. Trempés jusqu'aux os par une pluie d'automne incessante, harassés de boue et de combats, les hommes butèrent sur la dernière des montagnes : à quelques kilomètres, au nord-est de Cornimont, le Haut-du-Faing semblait infranchissable.

124

Le 15 au soir, à Cornimont où ils venaient à peine de cantonner, Launois avertit ses officiers qu'ils partiraient à l'aube vers cet objectif. Le 6e régiment de tirailleurs marocains, tout frais débarqué, venait de les rejoindre, c'est lui qui mènerait l'attaque pour s'emparer des hauteurs ; à charge pour sa propre compagnie de miner la zone, de la renforcer, puis de soutenir la contre-attaque allemande.

Manuel passa une partie de la nuit à écrire à ses parents. C'était la deuxième lettre qu'il envoyait. La première, postée avant la bataille du Garigliano, était restée sans réponse. Celle-ci, où il faisait part des mêmes craintes et des mêmes adieux attentionnés, n'en reçut pas non plus.

126

Déployées à six heures du matin, les forces françaises réussirent à atteindre le sommet du Haut-du-Faing dans l'après-midi. Trente et un morts, quatre-vingt-seize blessés ; pas grand-chose vu l'ampleur de la besogne, mais les services de secours ne chômèrent pas. Manuel et ses brancardiers ramenaient les corps à dos de mulet jusqu'à la route où l'on avait installé l'infirmerie ; des jeeps les descendaient ensuite dans la vallée.

La première nuit sur l'éperon fut dantesque : mille mètres d'altitude, un froid glacial, la pluie battante se transformant en bourrasques de neige, les Allemands déchaînés qui arrosaient la montagne avec la panoplie complète de leurs canons ; les suivantes furent apocalyptiques. Faute de troupes fraîches, l'état-major leur ordonna de tenir coûte que coûte la position. Faites des trous, et restez dedans, avait crachoté le téléphone du capitaine, avant de rendre l'âme.

Comme s'il était possible de faire des trous dans le

granit ! Ils résistèrent dix jours, pourtant, et par moins vingt degrés, tapis au creux des roches et martelés sans discontinuer par une dégelée d'obus. Dix jours terribles à se serrer les uns contre les autres pour endurer le froid, à se recroqueviller sous les tirs ennemis. Durant cette abomination, nombre d'entre eux en vinrent à exposer leurs bras dans l'espoir d'une blessure. Manuel rampait continuellement d'un abri à l'autre, mais il passait ses nuits à claquer des dents avec le même soldat de seconde classe : un noiraud de Bélabésien tellement sale, dans le civil comme à l'armée, qu'on l'appelait Carbonero, le « charbonnier ». Ils avaient grandi ensemble à Bel-Abbès, et Carbonero ne le décollait pas d'une semelle. C'était un moins-que-rien socialement, mais quel héros ! En Italie, son colonel avait sauté au beau milieu d'un champ de mines ; Carbonero était allé le chercher, l'avait chargé sur ses épaules et ramené en lieu sûr. Le colonel avait survécu ; il n'était mort qu'après-guerre, mais par gratitude, sa veuve servit une pension à son sauveur toute sa vie durant. Quand Manuel se rendait à Cornimont, deux fois par jour pour ramener les morts et les blessés, c'était Carbonero qui conduisait la jeep. Il y avait une descente formidable vers la ville, et qui était pilonnée sans trêve par les Allemands. Drapeau de la Croix-Rouge ou pas, ils étaient canonnés à chaque fois. Mais dès que les obus se mettaient à pleuvoir, Carbonero stoppait le moteur et allait se jeter dans le fossé. Comme il ne parlait pas un mot de français, Manuel était obligé de s'égosiller en espagnol pour qu'il revienne, *Ven aquí, Carbonero !* Dix jours extrêmement durs. Plus durs encore que dans les Abruzzes.

Ils furent relevés le 27 octobre et purent enfin se reposer à Cornimont.

Un soir, une journée seulement avant la fin de leur permission, le capitaine fit le bilan de cette action d'éclat : la percée des Vosges avait réussi, en grande partie grâce à eux, mais elle se soldait par 127 tués, 764 blessés, 24 disparus et 103 pieds gelés ; soit 915 pertes sur un effectif combattant de quelque 3 000 hommes. Ce qui représentait, en douze jours, l'équivalent des pertes subies en Italie durant cinq mois.

Il lut ensuite les félicitations qu'il venait de recevoir du haut commandement :

« Grâce à son métier et à son désir de vaincre, la 3e DIA, en vingt jours, n'a pas fait qu'avancer de quinze kilomètres en combattant, elle a obligé l'ennemi à dégarnir ses secteurs de Belfort et de Gérardmer et à faire venir des réserves d'Allemagne. Elle a ainsi ajouté à sa gloire celle d'avoir anéanti, sans repos ni renforts, la valeur de dix bataillons ennemis. »

Après quelques verres de gnôle avec ses hommes pour fêter leur nouvelle distinction, Launois se mit à dérailler : sa petite amie parisienne lui manquait trop, c'était insupportable ; il fallait qu'il aille la retrouver, ne fût-ce que pour quelques heures. Qui m'aime me suive ! dit-il en regardant Manuel et Petitpoisson. Il sortit en titubant, s'affala dans une jeep et démarrait déjà lorsque les deux copains sautèrent à ses côtés.

127

Ils roulèrent toute la nuit à travers le plateau de Langres – la région la plus froide de France, les avait prévenus Launois – pour arriver à Paris au petit matin, complètement gelés. Leur capitaine les laissa dans un hôtel et partit rejoindre sa dulcinée : plus question de harpe ou de ténors d'opéra... Rendez-vous à dix-neuf heures au Café de Paris. Livrés à eux-mêmes, Manuel et Petitpoisson se réchauffèrent quelques heures à l'hôtel, dormirent un peu, puis ressortirent, décidés à tenter leur chance avec les femmes. Ils se posèrent dans un bar des Champs-Élysées que leur avait conseillé Launois, et finirent par entortiller deux grandes blondes qui acceptèrent de les rejoindre à leur table. Quand Manuel se leva pour saluer sa conquête, la jeune fille eut une seconde d'hésitation, mais se reprit avec élégance :

— Je ne vous voyais pas aussi petit... C'est égal, ce sont vos yeux qui m'ont fait plaisir.

À l'heure dite, ils partirent ensemble retrouver Launois et sa fiancée au Café de Paris. Le capitaine offrait le repas, homard grillé, meursault et desserts à volonté ! Manuel en était encore à s'interroger sur l'utilisation des pinces nickelées disposées à droite de son assiette quand une bande de civils éméchés fit irruption dans le restaurant. Danielle Darrieux, l'actrice de cinéma, paradait, mine de rien, au milieu d'eux. On savait par la presse qu'elle était accusée d'avoir couché avec des Allemands, et risquait de gros ennuis, mais tout fut oublié en un instant. Lorsque l'orchestre commença à jouer, Launois et Petitpoisson se levèrent pour danser, chacun avec sa copine ; Manuel restait assis, gêné de conduire une partenaire plus grande que lui, quand l'actrice elle-même vint le prendre par la main ! Ils s'étaient enlacés le temps d'une valse, et elle l'avait remercié en lui disant :

— Vous au moins, vous êtes mignon...

Ils repartirent le soir même vers les Vosges. Petitpoisson dormait sur la banquette arrière ; Launois ronchonnait tout seul contre l'ignominie de la guerre, et Manuel, crispé sur le volant, mais encore sous le charme de Danielle Darrieux, ne sentit rien du brouillard glacé qui les enveloppa jusqu'au matin.

128

Trois jours plus tard, il fut blessé à Menaurupt – encore des éclats d'obus – mais pas assez gravement, toutefois, pour l'empêcher de continuer vers l'Alsace avec son régiment.

Devant Mulhouse, le 20 novembre, ils jetèrent un pont métallique sur le canal du nord, puis entrèrent dans la ville avec les blindés. Launois et d'autres officiers réquisitionnèrent une sorte de château sur leur chemin, demeure cossue où une vieille Alsacienne les accueillit avec raideur. Elle leur apprit qu'un dignitaire nazi y avait établi ses quartiers, mais qu'il venait de déguerpir avec toute son équipe. Dans son bureau, à l'étage, il y avait encore ses affaires personnelles. Chacun s'y servit sans états d'âme, Manuel se contentant de deux aquarelles signées Adolph Hitler et d'un livre d'art somptueusement relié.

La gardienne s'était assez amadouée pour décliner son prénom – Gretel – et montrer au capitaine les véritables trésors du château : une cave gigantesque où plusieurs milliers de grands crus attendaient le retour de leurs propriétaires légitimes. Elle se faisait un devoir d'en conserver les clefs, mais sortit chaque soir assez de bouteilles pour étancher leur soif d'étourdissement.

129

Ils menèrent là une vie royale, jusqu'à ce que l'ordre leur parvînt de vider les lieux et d'aller prendre leurs quartiers dans un hôtel, au centre de Mulhouse.

— On ne va quand même pas laisser tout ce pinard ici ? s'exclama Petitpoisson.

— Parce que tu crois que la gardienne va nous en faire cadeau ? répondit Launois. Aucune chance, sauf si l'un de vous se dévoue pour la sauter…

Petitpoisson et Manuel se récrièrent en même temps. Un laideron pareil! Ni l'un ni l'autre ne se sentait capable d'une telle prouesse. Le clos-vougeot portant conseil, ils décidèrent de jouer la chose à la crapette: le perdant devrait se taper Gretel et la convaincre de les laisser emporter toutes les bouteilles. Et il faudrait agir séance tenante, parce qu'on partait le lendemain! Manuel se fit battre à plate couture, mais Launois et Petitpoisson eurent beau le harceler, il refusa d'honorer son pari, tant l'âge et la physionomie de cette grand-mère lui semblaient insurmontables. Un tirailleur marocain, qui avait tapé dans l'œil de l'Alsacienne, se moqua de leurs réticences et descendit trouver Gretel. On ne sait pas ce qu'il lui fit, mais une heure ne s'était pas écoulée qu'elle vint elle-même, toute souriante et rajeunie de dix ans, leur offrir les clefs de la cave!

130

De leur nouveau cantonnement, rue du Sauvage, ils partaient pour de petites actions vers la Forêt-Noire. Très catholique, Launois tenait à ce que les officiers sous ses ordres, croyants ou pas, assistent à la messe tous les dimanches. Le 10 décembre, le jeune Cortès sortait de l'église, vêtu de sa belle tenue réséda fraîchement repassée, lorsqu'on l'envoya secourir des blessés du côté de Bantzenheim. Il grimpa dans la jeep qui l'attendait, avec chauffeur et infirmier, sans même avoir le loisir de se changer.

Leur véhicule traversa Mulhouse à tombeau ouvert, roula une demi-heure, et sauta sur une mine, quelque part au beau milieu de la forêt.

Manuel se réveilla trois jours plus tard à l'hôpital. Des deux hommes qui l'accompagnaient, on n'avait retrouvé que de menus morceaux, éparpillés jusque dans les arbres.

131

Après deux semaines de convalescence, sa permission d'un mois en Algérie tomba comme un cadeau du ciel. Cortès prit le train pour Marseille, embarqua sur un bateau américain et passa Noël en mer. Arrivé à Oran au matin du 1er janvier 1945, il fut le jour même à Bel-Abbès. Durant tout son trajet, il n'avait cessé de penser au moment où il lirait à son père une certaine feuille pliée en quatre dans la poche de sa vareuse ; il en connaissait le contenu par cœur :

Citation à l'ordre de la 3e Division d'Infanterie Algérienne :
Cortès Manuel, Médecin auxiliaire de la Cie 82/1 Génie.
« Remarquable de courage, d'entrain et d'allant, a accompagné en première ligne des équipes de pose en mines et d'organisation du terrain dans un secteur particulièrement exposé, payant de sa personne à toute occasion,

de jour comme de nuit, sans souci du danger, entre le 16 et le 26 octobre 1944 dans la région du Haut-du-Faing. »
La présente citation comporte l'attribution de la CROIX DE GUERRE avec ÉTOILE D'ARGENT.
P. C. le 28 novembre 1944
Signé : Général Guillaume

Chez Juanico, personne ne l'attendait. Ses parents le virent entrer avec son sac, mais comme ils servaient des clients, on fit semblant de ne pas le reconnaître. Ils vinrent le voir peu après dans la cuisine, le temps de s'assurer qu'il avait fait bon voyage et lui annoncer que son frère François arriverait le lendemain. Il venait d'être promu lieutenant, on avait hâte de fêter ça !

Dans l'intervalle, cependant, ledit François s'était pris trois jours de trou à cause d'une rixe, sanction qui repoussait à plus tard son avancement en grade. Lorsqu'il se présenta au café en uniforme de sous-lieutenant, Antoñetta jeta un coup d'œil à ses épaulettes et, au lieu de l'embrasser, lui fit faire demi-tour vers la sortie ; elle le poussa dans un taxi à destination de la gare : il leur avait fait honte, ce n'était pas la peine de revenir chez eux avant d'avoir ses nouveaux galons !

Manuel garda sa décoration par-devers lui et reprit ses habitudes de jeune Bélabésien plus ou moins désœuvré.

Il vivait chez ses parents, mais fréquentait le cercle militaire, sortait tous les soirs, courait les filles avec ses copains, et finissait au café Alba où son ami Del Baño tenait la vedette à force d'y concevoir à heure fixe d'inénarrables parties d'échecs.

Antoñetta fermant la porte à clef après minuit, c'est souvent qu'il attendait dehors, jusqu'à l'ouverture du bar, avant de pouvoir réintégrer sa chambre.

Il n'avait pas encore vingt-deux ans, et – qui le lui reprocherait – aucune envie de repartir à la guerre.

Un décompte macabre

133

Incrédule, apeuré, j'assiste à l'effacement de plus en plus manifeste de ce qu'il est convenu d'appeler mon corps. Jambes et bras ont cessé de me tourmenter ; ils répondent à peine à mes sollicitations, avec un temps de retard que je n'arrive pas à apprécier, mais qui rappelle le délai de réaction d'un appareil à une télécommande dont il faudrait se hâter de recharger les piles. Je ne serai bientôt qu'un émetteur vain, flottant, immobile, à la surface du monde des Idées.

Tandis que je me force à nager près du bateau, comme un naufragé autour d'une île inaccostable, je me souviens d'une conversation houleuse avec mon père, à la sortie du film *Indigènes*. Selon lui, on y laissait croire de façon ignominieuse qu'une majorité d'Arabes, commandés par des Européens colonialistes et incompétents, avaient défendu seuls le drapeau français durant cette phase de la Libération. J'eus beau essayer de faire la part des choses, soutenir qu'il avait été outré par ce film comme Buffalo Bill l'aurait été devant un *Rio Grande* tourné par des Indiens, que c'était une question de focale, il n'en démordait pas. Je n'avais pas alors d'arguments statistiques pour étayer ma contradiction.

134

Les chiffres, pourtant, sont imparables : 176 000 Français d'Algérie sous les drapeaux pour 244 000 musulmans ; les Français mobilisés ont beau représenter 16 % de la population européenne de l'Algérie – ce qui est énorme – et les indigènes mobilisés seulement 2 % de la population musulmane d'Afrique du Nord, il n'en reste pas moins que ces derniers furent plus nombreux. Même inégalité vis-à-vis des pertes ; si les officiers européens tombés au combat l'ont été dans une proportion cinq fois supérieure à celle de la troupe, les musulmans sont morts objectivement en plus grand nombre : 18 300 maghrébins (8 % des mobilisés) pour 12 000 pieds-noirs (7 % des mobilisés). Ramenés aux ratios respectifs de la population, les pourcentages relativisent la manière dont on perçoit cette réalité, un peu comme la météo différencie une température donnée de celle qui est effectivement ressentie, mais ils ne changent rien à l'inégalité de ce décompte macabre. Ce sont des faits.

Qu'une idéologie puisse ensuite s'en arranger, quitte à les travestir pour les besoins de la cause, relève d'un mensonge qui s'enracine au mieux dans le mépris de l'autre, au pire dans l'imposture et la manipulation. Les Français d'Algérie se flattent d'avoir payé le plus cher des tributs pour libérer la France et l'Italie, c'est faux. Les troupes africaines, quant à elles, tirailleurs algériens, sénégalais, tabors marocains, peuvent toujours prétendre que les Européens ne doivent la victoire qu'à leur sacrifice, c'est faux également. Toute carte centrée sur un pays est erronée par définition, puisqu'elle rejette le reste du monde à sa périphérie.

Dans les deux cas, la vérité, si elle existe, se trouve ailleurs. Les uns et les autres ont été utilisés comme chair à canon pour un combat dont ils comprenaient à peine les enjeux.

135

Je sais ce que ferait mon père en lisant cela : froncer les sourcils et grogner en jetant mes feuillets sur la table basse du salon. Ensuite, je lui fais confiance. Ce que j'écrirai cheminera dans son esprit, il mettra tout en œuvre pour me comprendre, simplement parce que je suis son fils et qu'il m'aime et m'estime comme peu de pères en ce monde. Ce qu'il dira, l'émotion passée, je m'en fiche : jusque dans ses dénégations, et sans doute sa colère, je reconnaîtrai ses efforts pour partager mon point de vue. Quelqu'un qui a demandé pardon à son fils, sincèrement, et en modifiant sa vision du monde, ne peut être qu'un individu exemplaire.

136

Vingt-deux ans... Comment avait-il fait à cet âge-là pour pratiquer la chirurgie de guerre ?

Sur la demande de mon plus jeune fils, j'ai accepté un jour de mouler son visage avec du plâtre. Malgré une minutieuse préparation consistant à anticiper le moindre de mes gestes à chaque étape difficile de la prise d'empreinte, malgré le calme et la détermination de mon courageux gamin, il y a eu un moment où il s'est retrouvé muré, bâillonné, aveugle, avec deux pailles dans les narines pour respirer. Durant les dix minutes nécessaires avant que je puisse enfin lui ôter son masque, je n'ai cessé de lui parler, de le rassurer sur le bon déroulement de l'opération, de m'enquérir de son état, guettant le signe dont nous étions convenus pour ses réponses. Une expérience que je ne suis pas près de reproduire, tant la peur qu'elle suscite, la crainte d'une erreur impliquant la mort de l'autre, dépasse de loin celle qu'on peut éprouver pour sa propre vie. Mais comment font les chirurgiens ? Quel degré d'héroïsme ou d'endurcissement faut-il atteindre pour réussir à inciser, bistouri à la main, la peau d'un corps vivant ? Ou ne font-ils machinalement sur ces organismes anesthésiés, si proches du cadavre, que ce qu'ils ont mille fois répété sur des sujets d'anatomie ?

137

Par habitude, par exigence de marin, et tout en m'étonnant de la persistance de cet automatisme dans la situation où je me trouve, mes yeux inspectent au passage la coque du bateau. L'antifouling a été refait au début de l'été dernier, mais il ne faudrait pas tarder à recommencer : algues et salissures ternissent déjà la belle couleur sang de bœuf de la peinture immergée ; les balanes se sont multipliés, leurs cônes de calcaire colonisent la ligne de flottaison comme autant de petits volcans. Je connais peu de choses de ces crustacés invisibles, dissimulés derrière leur muraille, mais pour m'y être intéressé lors d'une fouille archéologique, je sais qu'ils ont la faculté de survivre hors de l'eau, à marée basse, en fermant leur opercule de communication avec l'extérieur, tels des sous-marins inversés. J'ai retenu aussi qu'ils avaient le plus grand ratio taille/pénis du monde animal, avec un engin capable de s'étendre jusqu'à quarante-deux fois la longueur du corps. Rapporté à ma propre taille – 1,74 mètre x 42 –, pareil appendice me trouble tout à coup.

Quel artiste périt avec toi ! persifle Heidegger, tandis que je visualise ce tentacule absurde s'enroulant plusieurs fois autour du bateau.

La peinture blanche est abîmée, elle aussi. Elle s'écaille, cloque par endroits, côté réservoir, à cause du mazout qui déborde à chaque remplissage. Si je sors de là, je me promets d'être plus attentif, de prendre un chiffon pour éponger tout de suite le trop-plein, ou même de faire installer une jauge. Et tant que j'y suis, une échelle à demeure, ou au moins quelques crampons qui permettraient de remonter à bord en cas d'accident.

Le blanc, voilà plusieurs années que je me contente de le rafistoler : un peu d'enduit, un coup de ponçage, et je repasse une couche de laque par-dessus, tout en sachant qu'il faudrait sabler la coque à nu et la retraiter depuis le début. Derrière cette blancheur de façade, le primaire de minium réapparaît avec des teintes de fresque romane ; un eczéma chronique dont les rougeurs, les suintements, les squames dessinent un paysage aléatoire, mais d'un réalisme extrême lorsque l'œil parvient à fixer l'une de ses infinies variations. Le tableau qui vient de m'apparaître est une vue de ferme bavaroise, ou alsacienne, avec son toit défoncé, ses ruines annexes, sa cour encombrée de gravats. Un peu ce que j'imagine des aquarelles rapportées de Mulhouse par le soldat Cortès.

138

J'ai rarement rencontré quelqu'un aussi peu doué que mon père pour le dessin, ou devrais-je dire, aussi lourdement handicapé avec la représentation ; ses croquis sont hors norme, au-delà de toute échelle de valeur entre un dessin d'enfant malhabile et l'aisance d'un Ingres ou d'un Dürer. Il est proprement inapte à figurer quoi que soit avec un crayon. Je l'oublie souvent, et m'en mords la langue chaque fois qu'il m'arrive de lui demander le meilleur chemin pour tel ou tel endroit : mon père m'explique d'abord le parcours puis, très vite, s'ingénie à dresser un plan. Il prend un stylo, son bloc d'ordonnances, et s'aventure dans une série de traits rapides, flous, proches du paraphe, traçant des pâtés de maisons ovales, des carrefours réduits à une croix, des raccourcis gribouillés entre deux flèches, des courbes à angle droit… Autant de signes kabbalistiques qu'il sera plus tard incapable de déchiffrer, mais lui semblent d'une clarté lumineuse au moment où il arrache d'un coup sec son ordonnance et me la remet. La guérison est assurée : je peux être certain d'arriver à bon port.

139

Projet : Je n'y ai jamais songé jusqu'à présent, mais je devrais donner l'un de ces croquis à un pharmacien et attendre sa réaction. Au fond de moi, je suis sûr qu'il finirait par m'apporter des médicaments.

140

Alors les aquarelles d'Hitler, le livre d'art… Qu'il ait pris et ramené en Algérie ces choses-là plutôt que d'autres reste pour moi un mystère impénétrable.

D'autant qu'il les avait confiées peu après son retour à l'une de ses belles-sœurs et ne s'en était plus soucié de toute sa vie. De fait, il ne se souvenait de ces curieuses prises de guerre qu'en racontant son entrée dans Mulhouse, les décrivant comme de précieux trésors dont on l'avait spolié, mais que par grandeur d'âme il s'était toujours refusé à réclamer.

Mystère aussi, sa fascination et son amitié pour Del Baño. Je n'ai entendu parler de ce personnage qu'associé au communisme, aux échecs et à la pêche. C'est lui qui avait enseigné à mon père comment pêcher la *djerna*, un mérou de fond dont je n'ai appris qu'à dix-huit ans qu'il s'agissait du cernier de Méditerranée. Ils allaient en mer du côté de Béni-Saf, sur le pointu d'un copain de Del Baño, Bombardier, un colosse capable d'étrangler les murènes à mains nues, et rapportaient chaque fois une ou deux bêtes de quarante kilos.

141

À l'arrière du bateau, mes yeux s'arrêtent sur les lettres en bronze que j'ai vissées une à une à cet endroit voici trente ans. G.A.B.I.A.N. Elles sont ternies – un coup de lustrage ne leur ferait pas de mal ! – mais disent toujours notre volonté d'associer ce pointu aux mouettes, à la mer et à la Provence. Tout à côté, on distingue les restes d'un autocollant publicitaire, placé là par un inconnu lors du dernier carénage. Je n'avais pas réussi à l'enlever, mais le sel et l'humidité ont presque fini de faire le travail à ma place. C'est le sigle d'un club de plongée, une barre à roue entourée de quatre dauphins qui semblent virevolter autour d'elle. Grandeur et décadence… On jurerait une roue de Fortune destinée à prédire ce qui m'attend – *regnabo, regno, regnavi* [1] – sans que je sache où, quand, ni même de quelle nature a bien pu être mon règne en ce bas monde.

[1] « Je régnerai, je règne, j'ai régné. »

Les Juifs et les chiens ne sont pas admis

142

« La roche Tarpéienne est proche du Capitole ! » Cette phrase prophétique, incompréhensible pour tous ceux qui l'entendirent, cette froide promesse de vengeance, Gabriel Del Baño la prononça calmement, un certain soir d'avril 1945 où la poussière des rues, humide, alourdie par le récent passage de l'arroseuse municipale, laissait flotter sur la ville les senteurs âcres des glycines et de la terre mouillée.

143

Sur le large trottoir du boulevard Rollet, un homme corpulent marche d'un pas de sénateur, les mains jointes dans le dos, un béret posé en arrière de son crâne chauve. Il vient de traverser le jardin public et son dédale d'arbres centenaires sans ralentir jamais l'ample balancement de sa démarche d'ours. Devant les grilles de la caserne Viénot, il s'arrête un instant, craque une allumette et rallume en grimaçant le mégot jaune qui pend, collé à sa lèvre inférieure. À travers les barreaux en fer de lance où resplendit l'emblème de la Légion – un flambeau repoussé sur métal doré –, il distingue les taches de couleur beige, rouge et blanc des légionnaires immobiles autour de la sphère du monument aux morts. Le drapeau glisse le long du mât, un clairon se lève qui fait un bref éclair de cuivre, et la plainte de l'extinction des feux monte dans le silence du crépuscule.

Del Baño se remet en route. Comme chaque soir, il se rend au café Alba pour sa partie d'échecs avec André Pelegono. Au passage, il achète une poignée de caramels mous à un petit yaouled, assis en tailleur derrière sa corbeille d'osier, défait l'un des carrés de son enveloppe de cellophane et le glisse dans sa bouche avec un léger sourire de satisfaction : Pelegono, il le sait, ne supporte pas de l'entendre mâcher.

144

Del Baño n'usait pas de ce misérable artifice par incapacité : c'était un joueur de première force, et caramels ou pas, ni Pelegono ni aucun autre Bélabésien n'aurait jamais remporté un match contre lui. Disons que cela faisait partie du plaisir de gagner, et qu'il n'y en avait pas à mater scientifiquement un joueur d'échecs. Quoique jovial de nature, et bon enfant, Del Baño montrait à ce jeu la perfidie sans bornes d'un inquisiteur. Il manœuvrait Pelegono avec de tortueuses finesses, lui faisant miroiter la possibilité de se soustraire à la défaite ou même de sortir vainqueur du combat ; mais, au moment crucial, il tirait un caramel de sa poche, le défaisait de sa pellicule, les yeux baissés sur l'échiquier, prolongeant à souhait le crépitement du papier qui se déploie. Puis il aspirait bruyamment sa salive, roulait son caramel d'un bord à l'autre de sa bouche, et, fixant soudain Pelegono, lui assenait l'une des phrases incisives, et toujours renouvelées, qui sonnaient comme un glas pour le pauvre homme.

Sur un ton d'extrême fatigue : « J'en connais de plus forts que toi qui auraient abandonné depuis précisément dix-huit coups… »

Ou bien, l'air gentiment réprobateur : « Écoute-moi, André, se tromper ce n'est pas à coup sûr faire preuve de bêtise, mais persévérer dans son erreur, c'est pas souvent un signe d'intelligence… »

Ou encore, de façon plus laconique : « 24 août 1572, massacre de la Saint-Barthélemy ! »

Pelegono, virant par degrés du jaune clair qui était sa couleur naturelle au rouge sombre d'une fureur contenue, sentait alors sous ses aisselles le glacial goutte-à-goutte de la défaite.

145

Et Del Baño gagnait, il gagnait invariablement depuis deux ans, chacune de ses victoires laissant une nouvelle petite ride sur le visage chiffonné de son antagoniste.

Pourtant, celui-ci s'acharnait. L'infime boutiquier de la rue Catinat – *Au dandy d'Oranie, bonneterie, maroquinerie, cadeaux, prix étudiés* – lisait en grand secret des manuels d'échecs qu'il faisait venir d'Alger, absorbait à s'en rendre malade les variantes infinies de la défense sicilienne, préparant ce jour béni où il acculerait enfin Del Baño dans un coin obscur de l'échiquier pour « lui donner le compte ». Très souvent, durant la nuit, sa femme terrifiée surprenait le rictus de haine qui déformait le visage de son époux endormi : Pelegono rêvait avec délices qu'il enfonçait la pointe de son alêne dans le ventre bombé d'un empereur, lequel portait sur la tête un étrange béret surmonté d'une croix noire.

146

En arrivant près du centre-ville, le boulevard s'animait, les gens que la forte chaleur de l'après-midi avait refoulés à l'intérieur des maisons sortaient peu à peu de leurs tanières d'ombre pour profiter de la fraîcheur. Les terrasses de cafés se remplissaient d'Européens qui s'étiraient paresseusement, fermaient les yeux avec un gémissement de béatitude pour mieux sentir le petit air tonifiant que la fin du jour distillait sur la ville. Très vite, la douce musique des glaçons tintant au fond des verres achevait d'éliminer le contrecoup de la sieste. De fortes odeurs de légumes et de fruits surs descendaient du marché couvert pour venir se confondre avec celles du crottin d'âne et du jasmin ; le vieux camion-citerne passait au ralenti sur l'asphalte brûlant, avec son bruit de ferraille et ses deux gerbes d'eau latérales sous lesquelles des enfants demi-nus se douchaient en piaillant.

Au passage de l'arroseuse, Del Baño se jeta de côté pour éviter de mouiller son pantalon, et, spontanément, par obligation morale, lança quelques jurons bien sentis aux gosses accrochés en grappe à l'arrière du véhicule.

Juste avant d'arriver à la hauteur du cercle militaire, il traversa la rue et s'immobilisa sur le seuil du café Douat. Il fit mine de déchiffrer quelque chose, cracha par terre avec une mimique de profond dégoût, puis reprit son chemin. Sur la porte vitrée, les contours d'une inscription mal effacée permettaient d'en reconstituer le texte : *Les Juifs et les chiens ne sont pas admis.*

Del Baño n'avait changé de trottoir que pour la manifestation quotidienne de son mépris des collabos. D'un œil distrait, il regarda les affiches bariolées du théâtre – une énorme pâtisserie de style rococo, ornée de pilastres rose pâle et de muses en petite tenue – et, traversant à nouveau le boulevard, se trouva devant le café Alba, juste à l'angle de la place Carnot.

Cette belle esplanade fourmillait de monde ; elle était carrelée de rouge, et cernée par un péristyle de palmiers dont les troncs, enduits de chaux jusqu'à hauteur d'homme, éblouissaient. Au centre du carré, sous un kiosque à musique tarabiscoté, la fanfare de la Légion se préparait à un concert nocturne ; les spectateurs s'installaient dans un brouhaha de chaises pliantes et d'exubérance méridionale, couvert par les dissonances sympathiques d'un orchestre qui s'accorde.

147

Del Baño salua quelques connaissances assises en terrasse, et fendit résolument le rideau de perles vert et jaune qui se referma derrière lui avec une agréable musique d'osselets ; il était enfin dans la pénombre accueillante du café. Une vaste salle tapissée de glaces ciselées à l'ancienne et piquetées de points noirs, quatre rangées de tables rectangulaires dont les massifs plateaux de marbre reposaient sur des pieds en fer forgé, une banquette de moleskine rouge longeant les murs – tel était le cadre de la joute.

Fixée au plafond, l'hélice de Damoclès d'un gros ventilateur ronflait mollement au-dessus des consommateurs. Deux garçons de café, très débraillés sous le long tablier dont on n'imaginait plus qu'avec difficulté la blancheur d'origine, serviette jetée sur l'épaule, se démenaient d'une table à l'autre en fourrageant dans le gésier gonflé de monnaie qui ceinturait leur bedaine. Quelques joueurs de belote concentrés sur leur éventail de cartes, de nombreux habitués, volubiles, épanouis ; et, adossé à un mur, comme un insecte sur le tue-mouche luisant de la banquette, Pelegono, seul, face à son échiquier.

Del Baño vint s'asseoir en vis-à-vis. Aussitôt, surgis de tous les coins du café, leurs amis communs s'assemblèrent autour des deux joueurs. Manuel, bien sûr, qui eut droit à une accolade, le plus grand des frères Ouazana, Mechaly, Corchia, Bekkouche Moktar, le boucher, et Jorge Alzamora ; autant de fervents admirateurs qui venaient moins pour observer le déroulement de la partie que pour savourer en connaisseurs les finesses stratégiques de leur idole. Ils retournèrent quelques chaises et s'assirent à califourchon, faisant cercle autour de l'échiquier.

Sans qu'on lui eût rien demandé, un des garçons déposa sur le marbre une théorie de petits verres à pied, une bouteille d'anisette, et trois ou quatre assiettes de kémia, remplies d'olives noires, de cacahuètes salées et de piments doux baignant dans l'huile. L'eau glacée produisit dans les verres la glauque opalescence de l'absinthe, et tous les hommes trinquèrent avec solennité.

Pelegono extirpa de son porte-monnaie l'enjeu de la partie, une grosse pièce de cent francs qu'il claqua sur la table ; Del Baño fit de même et la joute commença.

Gabriel offrait toujours l'avantage du trait à son adversaire – parce qu'il était tout, disait-il, sauf un assassin ! –, et ce fut Pelegono qui entama le jeu en avançant son pion dame de deux cases.

— Oh, malheureux ! s'écria Del Baño, levant les mains au ciel.

Apeuré, Pelegono reprit son coup précipitamment, mais, constatant l'hilarité que son geste avait provoquée, il rejoua son pion en haussant les épaules. C'en était fait de lui : dès le premier coup de la partie, son adversaire avait réussi à le déstabiliser. Cependant, fidèle à sa tactique, Del Baño ne força point son talent et permit au boutiquier de recouvrer un peu de confiance. De temps à autre, il piquait une olive ou une languette de poivron dans les soucoupes, rallumait son embryon de Bastos et buvait son anisette à petites gorgées.

Dégagé des contingences terrestres par l'effort de réflexion surhumain qu'il fournissait, Pelegono, les coudes sur la table, la reinette fripée de son visage enchâssée entre ses doigts, ne touchait à rien.

Le combat atteignait sa phase maximale lorsque Del Baño, avec une nonchalance feinte, tira de sa poche l'un de ses venimeux caramels mous. Pelegono fermait les yeux, courbant l'échine comme un taureau à l'instant de sa mise à mort.

Del Baño joua son coup, et, se reculant sur sa

chaise :

— Bekkouche ! demanda-t-il, tu as un canif sur toi ?

— Oui, je crois, répondit l'autre, interloqué.

— Dis-moi, tu es mon ami ?

— Oui, bien sûr !

— Alors, Bekkouche, je t'en prie, crève-moi un œil, va ! Fais ça pour lui, le pauvre, c'est sa seule chance de gagner la partie !

On s'esclaffa et Del Baño ayant annoncé à la cantonade qu'il se rendait aux toilettes, les spectateurs en profitèrent pour se dégourdir les jambes.

149

Pelegono n'avait pas bougé ; seul avec sa détresse, il contemplait le piège imparable qui détruisait une fois de plus ses folles espérances de victoire. Ses mains se crispaient sur la table, l'échiquier tournoyait devant lui, et dans ses yeux de rat, plissés par la haine, on pouvait lire une irrésistible envie de meurtre.

Si l'amour-propre d'un joueur d'échecs est sans limite, il n'en va pas de même de son endurance à l'humiliation : Pelegono vérifia que personne ne l'observait, puis déplaça subrepticement l'une des pièces de son adversaire, modifiant ainsi en sa faveur la position de l'échiquier.

Lorsque Del Baño revint, accompagné de ses adulateurs, il remarqua sur-le-champ la grossière indélicatesse du boutiquier. Il n'avait rien contre les tricheurs, et pour cause, mais à la condition que ceux-ci, comme lui-même, agissent dans les règles, avec intelligence, et, du moins, en s'assurant l'impunité. En dehors de ces exigences, il n'y avait pas tricherie, mais offense à la personne, et celle qu'on venait de lui infliger méritait beaucoup plus qu'une simple dénonciation publique. Foi d'Andalou, la vengeance serait à la mesure de l'insulte !

Gabriel saisit une fourchette à pleine main et, tout en se balançant sur sa chaise, dévisagea son adversaire. Pelegono, atterré, dépassé par les conséquences de son acte, s'enfonçait dans la banquette, prêt à déguerpir. Il n'eut pas à souffrir cette brimade, car Del Baño, prenant soudain de l'élan, se pencha sur la table et planta son arme dans la chair molle du dernier poivron.

— Alors ? J'attends, susurra-t-il en montrant l'échiquier, c'est à toi de jouer !

Pelegono, encore indécis sur les intentions de son partenaire, s'éventa de la main. Il s'exécuta, et le jeu reprit sans autres incidents.

150

Les échecs sont ainsi faits qu'une seule pièce mal positionnée peut inverser l'issue d'une partie ; malgré son intelligence du jeu, il était impossible à Gabriel de remonter ce handicap irrégulier. Ce fut donc avec stupeur que ses amis le virent, peu après, coucher doucement son roi noir en signe d'abandon. Pelegono lui-même, qui empocha les cent deniers de sa traîtrise, n'en revenait pas. Del Baño se leva, très digne, et dans un silence accentué par les derniers gémissements d'Isolde, suppliciée par la fanfare, on l'entendit prononcer cette phrase magistrale :

— La roche Tarpéienne est proche du Capitole !

Il sortit du café sans se retourner, laissant derrière lui une tablée ahurie par la foudre de ses paroles.

151

Le lendemain, à l'heure de l'apéritif, il y eut foule au café Alba. La défaite de Del Baño avait fait le tour de la ville ; son attitude restait inexplicable, elle appelait un dénouement, et l'on attendait avec impatience les suites que le bonhomme ne manquerait pas de donner à cette affaire. Ses détracteurs, menés par un Pelegono que torturaient les transes de Judas, le disaient fini, liquidé, anéanti ; mais ses partisans clignaient de l'œil d'un air entendu, déclarant que l'avenir leur réservait peut-être des surprises, et qu'il ne fallait pas vendre la peau du maître avant de l'avoir tué !

L'effervescence augmentait peu à peu, entretenue par le rapport que des guetteurs – Corchia et Mechaly, postés au coin du boulevard – faisaient parvenir à l'assemblée. Ouazana, le cou tendu par la fenêtre, interprétait leurs gestes avec une science qui tenait du prodige et se retournait de temps en temps pour livrer le message déchiffré à ses compagnons :

— Il achète ses caramels, il traverse la rue. Maintenant il crache devant chez Douat. Ça va, il fait la causette avec Juanico. Aïe, il repart, attention… ça y est, il arrive !

Corchia et Mechaly, essoufflés d'avoir couru, réintégrèrent le café en criant à voix basse, avec des airs de conspirateurs :

— Chut, le voilà, le voilà !

Pelegono, épuisé, méconnaissable, sa chemise blanche trempée de sueur adhérant à son torse malingre, se recroquevilla sur la banquette, le regard hypnotisé par l'échiquier. Les autres n'eurent pas le temps de prendre une contenance et furent surpris debout par l'entrée de Gabriel.

Des deux mains il écarta brutalement le rideau de perles et se tint immobile dans l'embrasure de la porte, sérieux comme un chasseur de primes à l'instant d'un règlement de comptes. Un silence de mort régnait dans la salle, et l'on aurait entendu voler les mouches si la diligente tapette de madame Alba n'en avait provisoirement éteint la race.

Nullement étonné par la trentaine de badauds qui le dévisageaient, Del Baño s'avança – la masse humaine s'entrouvrit pour le laisser passer – et il se dirigea vers Pelegono, escorté par Manuel et Mechaly, regardant droit devant lui en direction du bar.

Lorsqu'il fut à la hauteur du boutiquier, Del Baño tourna lentement la tête vers lui et, avec un effroyable mépris, proféra ce mot terrible :

— Voleur !

152

Voleur ! Il avait dit : Voleur ! On s'attendait à tout sauf à cet affront, mais l'ébahissement général n'eut pas le temps de se dissiper : en fin stratège, Del Baño réitéra. Après avoir continué sa progression jusqu'au comptoir et bu son anisette, il reprit le même chemin, s'arrêta devant Pelegono, l'insulta une seconde fois et gagna la sortie.

Si Del Baño avait traité son adversaire de tricheur, s'il l'avait giflé, ou même rossé, la chose aurait certes fait du bruit, mais se serait effacée aussi vite que n'importe quelle autre altercation. Pour lors, il en allait tout autrement, car traiter quelqu'un de voleur dans une communauté composée d'Espagnols, de Juifs et d'Italiens, gens peu habitués à plaisanter sur l'honneur, équivalait à une provocation en duel. Ne pas y répondre était pis que la mort, c'était la honte.

153

Ce fut celle-ci, pourtant, qui s'abattit sur Pelegono, car son tortionnaire reproduisit plusieurs fois la mise en scène de ses insultes sans que le petit homme osât le moindre geste de riposte. Ce scandale fit les beaux jours du café Alba : l'on s'y disputait les bonnes places pour entendre Gabriel prononcer le mot vengeur et jouir de son effet sur le visage du boutiquier.

Cela durait depuis une semaine quand Del Baño, un soir qu'il pénétrait dans le café, se trouva nez à nez avec son ami d'enfance, le commissaire Aznar : poussé dans ses derniers retranchements par l'opinion publique, Pelegono s'était décidé à porter plainte.

— Voyons Gabriel ! fit le commissaire. Qu'est-ce qu'il se passe avec Pelegono ? Il me dit que tous les soirs tu l'insultes, que tu le traites de voleur devant tout le monde ! On sait bien qu'il t'a triché aux échecs, mais quand il a une idée derrière la tête, aucun il lui enlève ! Alors tu arrêtes ton cinéma, tu lui fais des excuses, et on n'en parle plus, va...

Del Baño se recula, jouant l'indignation, et de manière à ce que nul ne perdît une seule de ses paroles :

— Moi, commissaire ? s'exclama-t-il. Mais je ne connais pas cet individu.

Et il regarda Pelegono avec une indifférence, une sincérité telles que toute personne ignorant sa vraie nature aurait reconnu en lui le type même de l'innocence persécutée.

— Écoutez, monsieur le commissaire, cela me coûte énormément, mais je m'en vais vous dire la vérité, toute la vérité !

Aznar écarquilla les yeux : c'était bien la première fois que Del Baño, non content de le vouvoyer, lui octroyait en prime du « commissaire ».

— Voilà, reprit Gabriel sur un ton de tragédien, j'ai volé, oui, monsieur le commissaire, vous avez bien entendu, j'ai volé cent francs à ma mère ! J'avais dix ans à l'époque, et je n'ai jamais osé lui avouer ma faute. Depuis, la pauvre, elle est morte (il se signa avec emphase), mais mon crime, car c'est un crime, un vrai, que de voler sa mère, monsieur le commissaire ! mon crime, disais-je, me poursuit jour et nuit ! J'y pense sans arrêt, la honte et le remords m'empêchent de dormir ! Alors, chaque fois que je passe dans ce café pour boire mon anisette, chaque fois que je reconnais mon visage de criminel dans les miroirs, je me crie « Voleur, voleur ! » pour marquer ce forfait d'une éternelle infamie. Et voilà, monsieur le commissaire, vous savez tout.

Sur quoi, il fit le geste de présenter ses mains pour qu'on lui passât les menottes.

Ce fut un éclat de rire comme on n'en a guère entendu depuis à Sidi-Bel-Abbès ; mais, quand il s'apaisa, Pelegono avait disparu, et on ne le revit plus jamais au café Alba.

154

Le temps a passé, les personnages de ce récit ont rejoint le triste anonymat de la fosse commune, la ville elle-même, veuve de tout un peuple, a convolé en d'autres noces, elle connaît d'autres mœurs et d'autres habitudes, mais je veux croire qu'on y rencontre encore une expression dont ceux qui l'utilisent seraient bien en peine d'expliquer la provenance ; ils disent : « Voleur comme Pelegono… » Et, à travers ces mots qui se souviennent, on sent l'apaisante fraîcheur d'une soirée qui dure, le parfum âcre des glycines, de la terre mouillée, et cette petite brise où s'éteint doucement la voix indistincte des hommes.

Le temps d'une micro-sieste réparatrice

155

C'est mon père qui m'a enseigné les règles du jeu d'échecs, vers l'âge de huit ans. À la dure, car il jouait contre moi comme avec un adulte, et en s'énervant lorsque j'oubliais tel coup nécessaire au bon déroulement de l'« ouverture espagnole », la seule qui méritât ses bonnes grâces. Il ne pouvait s'empêcher ni de gagner, ni de m'asticoter ensuite, un peu à la manière de Del Baño avec sa victime. J'en avais presque à chaque fois les larmes aux yeux.

Je m'efforçais donc de progresser, moins par désir de le vaincre un jour, que dans l'espérance d'arriver à désamorcer l'humiliation qu'il m'infligeait à la suite de ses victoires. Elles n'étaient jamais convaincantes, d'autant moins qu'il reprenait souvent ses coups, prétextant d'une « erreur grossière », si bien que j'avais conscience qu'il les devait à mon inexpérience et à mes fautes d'inattention plutôt qu'à sa propre maîtrise du jeu.

Je m'étais amélioré au fil des années, mais la situation ne changea visiblement qu'après ma rencontre avec son ami Del Baño. Je ne l'avais côtoyé qu'une seule journée, lorsqu'il était passé nous voir à Brignoles, bien après notre arrivée en France.

Apprenant que je jouais aux échecs depuis quatre ans et ne me débrouillais pas trop mal (mon père m'avait emmené récemment au cercle du village, et j'y avais battu l'un des meilleurs joueurs sans grande difficulté), Del Baño m'avait proposé de faire une partie contre lui. Prévenu de sa force par les récits de mon père, je m'étais appliqué plus que jamais auparavant, mais le vieil homme m'avait infligé une terrible défaite, tranquille et souriante, sans m'abreuver du moindre conseil, et en s'excusant à la fin d'avoir maté aussi vite un enfant de onze ans.

C'était la première fois que je perdais contre quelqu'un d'extérieur au cercle familial, mais au lieu des symptômes habituels de ressentiment contre moi-même, j'avais été surpris d'éprouver une paix intérieure parfaite, celle qui procède de l'accomplissement d'une chose inéluctable, légitime et belle de cette sereine nécessité.

156

Après ma déroute contre Del Baño, j'avais commencé à vaincre mon père plus souvent. Je ne jouais pas pour perdre, bien entendu, et luttais jusqu'au bout en vue du gain, mais le fait est que je tirais désormais de mes défaites une qualité de plaisir beaucoup plus sophistiquée que dans le cas inverse. Je le battis bientôt une fois sur trois, puis deux, et, à partir de mes treize ans, systématiquement. Après une douzaine de défaites consécutives, il trouva mille excuses pour espacer les parties, faisant mine de s'ennuyer au jeu, puis refusa tout net de m'affronter sur ce terrain, comme si je n'insistais pour me mesurer à lui que par désir sadique de le surpasser.

J'ai continué à jouer avec d'autres adversaires, mais toujours en mémoire de ma fin de partie contre Del Baño. À croire que les pères obnubilés par la victoire engendrent des fils que seule la défaite parvient à fasciner.

157

Dans certains cas – pour ménager la susceptibilité d'un joueur moins fort que moi, par exemple – je joue même sérieusement pour perdre. Non en commettant des erreurs délibérées, mais en développant une stratégie suicidaire sans que l'autre s'en aperçoive. Je pousse la difficulté jusqu'à décider à l'avance la case exacte où j'obligerai l'adversaire à acculer mon roi. Succomber de cette façon est bien plus ardu que de continuer à vivre, mais j'ai alors le sentiment d'avoir gagné, ce qui rend la chose moins intéressante.

158

Tout cela me rappelle deux Brésiliens rencontrés jadis à Fortaleza, chez mon ami Eléazard ; homos, et atteints l'un et l'autre du sida. Se sachant au dernier stade de la maladie, ils passaient de longues heures devant un échiquier en se conformant à une règle de leur invention : avant le début de la partie, chacun choisissait in petto quelle pièce représenterait son roi et notait cela sur un bout de papier. Ce pouvait être le vrai roi, comme un fou, un pion ou n'importe quelle autre pièce du jeu. Ils jouaient ensuite de façon normale, mais sans savoir où se trouvait le roi adverse. Quand le roi déguisé, un cavalier, par exemple – et qui agissait jusque-là comme la pièce qui le dissimulait – était mis en échec une première fois, son possesseur avait obligation de le démasquer ; on remplaçait alors le cavalier par le roi, et réciproquement, puis le jeu continuait. Toute stratégie de victoire demeurait vaine, ou à tout le moins aléatoire, comme dans la vraie vie.

159

Joli symbole pour une fin de partie, me souffle Heidegger.

Il faudrait y réfléchir à deux fois, mais je rêve un instant au génie des *Mille et Une Nuits* qui m'offrirait de prendre la place de quelqu'un d'autre sur l'échiquier du monde, n'importe qui et n'importe où, pourvu que j'échappe à ma situation présente.

160

Nager m'affaiblit sans me réchauffer. Me voici revenu à la proue, bras croisés autour de la corde, en position fœtale. Je devrais être plus attentif, ne pas laisser mon esprit vagabonder de la sorte. Tous ces gens qui bavardent en moi, ce n'est pas sain, je m'en rends compte. Je n'ai plus qu'une vague notion de l'heure.

Mes paupières se ferment malgré moi, comme alourdies par une trop longue veille. Il faut, je le sais, que je résiste à l'endormissement, mais la tentation est forte d'y céder au moins quelques secondes. Deux ou trois seulement, le temps d'une micro-sieste réparatrice. Celle que pratiquaient les capucins de Tolède dans le silence du scriptorium : je me visualise assis, une clef entre l'index et le pouce de la main gauche, au-dessus d'une écuelle de métal renversée. Deux secondes, promis, juré. Derrière mes yeux clos se déploie séance tenante une figure colorée dont la géométrie m'hypnotise : elle donne l'illusion d'une sphère déformant la grille qui a freiné sa course. La grille est rouge, la sphère bleu outremer avec un dégradé vers l'émeraude clair. On dirait un Vasarely, et ce nom détesté me ramène jadis, au temps de mes années parisiennes.

161

À l'âge où mon père avait déjà obtenu deux citations pour sa bravoure au combat, j'étais encore un étudiant à cheveux longs et à besace des surplus américains, un blanc-bec obnubilé par le charlatanisme esthétique de son époque. J'avais choisi mon camp : Van Eyck, Vermeer, Vélasquez, contre toute la pacotille marchande portée aux nues par la société du spectacle dénoncée par les situationnistes. C'est cet énergumène que ma copine d'alors traîna un jour chez un de ses amis « artiste », dans le XVIe arrondissement. Il habitait un loft dont l'ordre et la netteté tenaient plus du laboratoire que d'un antre propice à la création, ou de ce que j'imaginais d'un atelier de peintre. Une longue table sur tréteaux, quelques chaises en plastique moulé, une série de toiles vierges classées par taille, des rayonnages remplis de dossiers, et une grande étagère où était soigneusement rangée une multitude de flacons de peinture acrylique identifiés par des numéros. Le jeune homme qui vivait là devait avoir quatre ou cinq ans de plus que moi. Sa blouse blanche et son crâne d'oisillon déplumé ne contrastaient pas avec l'ensemble. Dès les présentations, j'appris qu'il travaillait pour le peintre Vasarely. Comme une demi-douzaine d'employés de son genre, épars dans les grandes capitales du monde, il recevait par fax les instructions du maître et se chargeait de réaliser les tableaux correspondants. Il nous montra la commande du jour : une longue suite de nombres qu'il déchiffra pour nous en préparant son matériel. D. 29, p. 40 renvoyait à la page 40 du dossier 29 où se trouvait la matrice géométrique désirée, un canevas dont chaque polygone était numéroté. Suivait la taille de la toile, puis les chiffres associant chacune des surfaces à une couleur particulière. Ça n'était que du coloriage, de la supercherie !

—Eh oui, ce con a réinventé la peinture au numéro… Lamentable, je suis d'accord, mais c'est mon gagne-pain. J'arrêterai quand je commencerai à vendre mes propres toiles.

L'oisillon vida une bouteille de rouge en notre compagnie, puis, par bravade et pour enchérir sur mon écœurement, nous proposa de l'aider à peindre.

—On pourrait laisser des petits messages avant de s'y mettre, non ?

—Tout ce que tu veux, ça ne se verra pas sous le *gesso*.

C'est ainsi que j'avais commencé à écrire, au feutre indélébile, sur les deux toiles vierges qu'il venait d'accrocher au mur. « Ceci n'est pas de l'art, c'est de la merde » et d'autres insanités dont je ne me souviens plus mais sous lesquelles j'avais signé mon nom.

Le séchage de la couche d'apprêt nous avait laissé le temps de vider une seconde bouteille. L'oisillon reporta ensuite les figures requises à l'aide d'un projecteur, posa les toiles à plat sur la table, et nous nous mîmes tous les trois à colorier les cases numérotées en respectant les consignes données pour les couleurs.

Quand nous partîmes, au petit matin, il y avait dans l'atelier deux nouveaux Vasarely que le maître authentifierait sans vergogne quelques jours plus tard.

Ils doivent être sur les cimaises d'un musée ou dans ses réserves – qui en voudrait chez soi aujourd'hui ? – et il n'y a aucune chance qu'un expert les passe jamais aux rayons X, mais la simple existence des petites bombes à retardement que j'y ai placées continue de me rasséréner.

162

J'ouvre les yeux avec le sentiment que ce sont elles, en explosant, qui viennent de me désengourdir. Rien n'a changé autour de moi, sinon ce bruit lointain de canonnade où je reconnais les tirs d'exercice de la Marine nationale. Je ne parviens pas à distinguer les bâtiments, mais il doit y avoir un ou deux destroyers au large de Toulon qui s'amusent à dérouiller leurs armes. Un jour de Noël ! s'exclamerait mon père. Quand ils sont cons, les militaires, ils ne font pas semblant !

Lors d'une partie de pêche, en nettoyant l'énorme congre que nous avions ramené à bord, j'avais trouvé un projectile de mitrailleuse lourde dans son estomac. Une longue balle à bout rouge, chemisée de cuivre, qui avait dû leurrer notre poisson tandis qu'elle tombait, en fin de course, dans son territoire de chasse.

Si j'ai l'occasion de refaire une vraie sieste à la façon des capucins, je m'en servirai en guise de clef.

La chasse aux merles

163

Manuel avait fait son stage de médecin auxiliaire avec Henri Raynal, un chirurgien de Bel-Abbès qui s'était montré assez clairvoyant pour prendre le jeune homme sous son aile et lui promettre un bel avenir dans la profession. Lorsqu'ils se rencontrèrent par hasard au cercle des officiers – son mentor avait été mobilisé sur place avec le grade de commandant –, Raynal se déclara enchanté de retrouver celui qu'il présenta à sa femme comme son meilleur étudiant, toutes promotions confondues. Alors, l'Italie ? le débarquement en Provence ? la bataille des Vosges ? C'était comment, la guerre ? À sa grande surprise, Manuel s'aperçut qu'on ne pouvait rien en dire, sauf des banalités, à qui n'avait pas crevé de frousse, au moins une fois, sous le fracas d'un bombardement. C'était une solitude terrible, une sorte de mutilation. Lorsqu'il finit par avouer qu'il désirait plus que tout poursuivre ses études et demeurer en Algérie, Raynal lui continua ses bons offices : il intervint sur-le-champ auprès d'un certain colonel Beulet, qui dînait à une table voisine, pour qu'on prolonge d'un mois la convalescence de son protégé. À la faveur de reports successifs, Manuel avait pu rester ainsi à Bel-Abbès jusqu'à l'annonce de la capitulation allemande.

Au matin du 8 mai 1945, son père le réveilla sans crier gare : un colonel le réclamait. La célébration de la victoire ayant laissé quelques séquelles, il eut un peu de mal à enfiler son uniforme et à se rendre présentable. Dans le bar, c'était Beulet en personne qui l'attendait. La façon dont il frappait ses guêtres avec sa badine ne présageait guère de bonnes nouvelles :

— Les Arabes se sont révoltés à Sétif, dit-il avec impatience, la Légion et les spahis doivent intervenir, et nous n'avons pas de médecin. Je suis désolé, mais c'est un ordre : il faut qu'on vous emmène.

164

Bon gré mal gré, le soldat Cortès prit le train dans l'heure qui suivit avec trois compagnies de légionnaires. Soucieuse de préserver sa neutralité, la Royal Air Force n'avait accepté de convoyer que soixante-quinze hommes vers l'aéroport de Constantine.

Ils arrivèrent à Sétif en fin d'après-midi. Le calme y était rétabli depuis onze heures, grâce à l'intervention de la gendarmerie et des tirailleurs algériens, mais aux dires de la préfecture, paniquée, l'émeute se propageait comme un feu de paille vers le nord. À l'hôpital, on avait dénombré vingt-neuf morts européens et une trentaine de blessés. Des troubles similaires étaient signalés à Guelma, où l'on armait des milices civiles, à La Fayette, à Kherrata. Les insurgés coupaient les routes, les fils téléphoniques. Le couvre-feu régnait depuis quinze heures, mais faute d'en avoir été informés, les indigènes se faisaient tirer au hasard des rues comme des lapins.

Les troupes repartirent tout de suite dans le djebel, vers Périgotville qu'on disait assiégée, et à l'aube du 9 mai, la Légion et les spahis commencèrent à faire leur « boulot ». Ce fut un vrai massacre, une indigne chasse à l'homme – si tant est qu'il y en eût jamais de respectable. Cautionnés par le gouvernement d'Alger, les militaires se mirent à canarder tout ce qui bougeait, hommes, femmes, enfants, vieillards, ils ne choisissaient pas leur cible, ils arrosaient, ils descendaient. Manuel était dans la jeep du commandant de la Légion, Chavignol, avec d'Époisses, son homologue des spahis. Debout, comme pour un safari, ces deux-là donnaient l'exemple, tirant sans états d'âme sur la moindre silhouette entraperçue. Il fallait tuer de l'Arabe, c'était tout.

Jusqu'à Kherrata, le convoi d'automitrailleuses et de scout-cars n'avait laissé rien de vivant derrière lui.

Dès ce premier jour, l'aviation était intervenue : des vols d'intimidation en rase-mottes sur les villages et les hameaux, des mitraillages, des bombardements de B-26. Au nord de Souk El-Tenine, le croiseur Duguay-Trouin canonnait la côte, tandis que des fusiliers marins débarquaient au cap Aokas et à Bougie. On se serait cru en pleine guerre d'Italie, à cela près qu'il n'y avait aucun affrontement, aucune réplique directe contre la troupe, mis à part quelques accrochages avec des hommes armés de pétoires et de bâtons. Affolés par cette expédition punitive, les indigènes refluaient en masse sur les crêtes, cherchant à sauver leur vie, tandis que les plus audacieux, déterminés à résister, agressaient les Européens dans les endroits reculés pour se procurer des fusils et venger leurs morts de la façon la plus atroce.

Le 10 mai, Manuel vit les légionnaires arroser une mechta d'essence, mettre le feu, puis dégommer à la mitrailleuse tous ceux qui tentaient de fuir. Des vieillards, des fillettes, des femmes avec bébés aux bras. Nul n'en avait réchappé. Cela, il l'avait vu de ses propres yeux, sans éprouver autre chose qu'un vague sentiment d'incohérence et de dégoût. Au soir de cette même journée, le cuisinier ne trouva rien de mieux que de leur préparer un méchoui avec les bêtes récupérées aux alentours de la mechta. Tout le monde s'était régalé.

165

La simple apparition de la troupe suffit à dégager Desaix, Chevreul, Aïn Abessa, La Fayette, Kherrata, entraînant à chaque fois les mêmes carnages répressifs. Combien de morts en tout ? Manuel ne savait pas, mais il en avait vu beaucoup ; beaucoup plus que de cadavres allemands durant ses deux années de guerre.

Le 15 mai, une première cérémonie d'expiation eut lieu à Tizi N'Bechar. Acculés par les forces françaises, décimés, affamés, dix mille indigènes s'étaient soumis à l'armée en demandant l'aman, cet humiliant pardon des rebelles vaincus. Les autorités militaires mirent en scène la reddition de manière à frapper les esprits : ceux des indigènes, par une démonstration de force et l'avilissement volontaire de leurs chefs ; ceux des Européens, en regroupant des tribus entières qui n'avaient rien à voir avec l'insurrection – des figurants qui déposèrent ensuite aux pieds d'un général, et devant nombre de photographes, les fusils déchargés que la Légion leur avait distribués.

166

L'armée, toutefois, n'en continua pas moins à ratisser les campagnes, et au lendemain de ce spectacle affligeant, l'ambulance de Manuel se trouva isolée, en tête de convoi, sur une route de montagne. Au détour d'une courbe en épingle à cheveux, elle dut stopper devant un obstacle de branchages. Jaillissant des fourrés, une petite bande d'Arabes armés de vieux Lebel et de longues matraques leur firent signe de descendre du véhicule. Manuel sortit le premier, et sans attendre ni prononcer une parole, un montagnard au visage noirci le frappa de toutes ses forces avec son bâton, lui assenant un coup si violent qu'il tomba au fond du ravin. Comme un half-track arrivait en contrebas, les Arabes se sauvèrent et disparurent dans les taillis. Manuel fut rapatrié à l'hôpital de Sétif avec un bras cassé et l'épaule déboîtée.

En attendant de l'opérer, on le mit dans une chambre où se trouvait l'une des victimes du 8 mai, un receveur des postes nommé Albert Denier. C'était un brave type, militant du Parti communiste, qui avait été pris dans la mêlée. Des bandages épais enveloppaient ses avant-bras.

— Qu'est-ce qui vous est arrivé ? demanda Manuel.

— Oh, pas grand-chose. Un coup de serpe, j'ai protégé ma gorge. Je m'en sors plutôt bien ! Le toubib qui m'a recousu dit que je pourrai reprendre ma place dans l'harmonie municipale d'ici un mois ou deux. Je ne suis pas pressé, mais ça fait plaisir quand même.

Lorsqu'une sœur infirmière vint refaire ses pansements, Manuel entrevit les blessures de son voisin. La serpe lui avait aussi perforé le poumon et entaillé la peau à plusieurs endroits. Rien de bien méchant par rapport à ce qu'il avait eu à traiter sur les champs de bataille, hormis l'aspect noirâtre et la forte inflammation des plaies au niveau des bras. Il s'en inquiéta auprès de la soignante, l'engageant à mieux désinfecter avant de refaire les bandages. Peut-être aussi faudrait-il poser un drain, non ?

— Qu'est-ce que vous en savez ?

— Je suis médecin.

— Médecin « auxiliaire », dit-elle en regardant sa fiche. Alors, mêlez-vous de vos affaires, s'il vous plaît. Je prendrai votre avis en compte lorsque vous aurez passé la thèse, d'accord ?

Manuel explosa, demandant à voir le chef de service, grimaçant de douleur parce qu'il tentait en vain de se redresser, mais l'infirmière revêche lui avait déjà tourné le dos.

— Laissez tomber, dit le blessé, ça va aller, je vous assure. Ce n'est pas une méchante femme, elle fait ce qu'elle peut. Ils sont débordés de travail, en ce moment.

167

Dans la journée, plusieurs de ses proches vinrent le visiter, colportant de nouvelles informations sur les événements. Monsieur Vaillant avait été tué à coups de bâton, monsieur Péguin, le directeur de l'école indigène, quasiment décapité, Édouard Deluca, le maire, assassiné d'une balle dans le ventre… Tous des arabophiles, se lamentait Denier, quelle misère ! Des bandes armées avaient attaqué plusieurs fermes isolées, on racontait d'horribles histoires de meurtres, de viols, d'émasculations. Je ne les excuse pas, disait Denier, avec cet air sérieux et un peu triste des gens qui essayent coûte que coûte de faire la part des choses, mais je les comprends. On ne tire pas sur des hommes parce qu'ils sortent un drapeau qui n'est pas de votre goût ! Comment s'étonner qu'ils cherchent ensuite à se venger ?

Manuel se demanda si ce type était un héros, un saint martyr ou un abruti, l'une des trois couleurs primaires dont le mélange produit l'infinie diversité de la palette humaine. À voir les lèvres pincées de la sœur infirmière chaque fois qu'elle entendait les commentaires de son patient – des tenailles chauffées à blanc eussent paru moins agressives – on devinait sans peine dans quelle catégorie elle le rangeait. Manuel, quant à lui, se garda de tout jugement ; par esprit de contradiction envers cette mégère à cornette, mais aussi parce que la bienveillance naturelle du receveur des postes lui rappelait celle de Bénichou, son professeur de philosophie. Après s'être torturé les méninges, il dut convenir toutefois qu'il ne parvenait pas à se faire une opinion, oscillant sans cesse entre le juste droit des peuples à disposer d'eux-mêmes prôné par son voisin de lit, et le sentiment que ce qui était advenu à Sétif menaçait en profondeur l'équilibre de son monde. Quelle que fût la manière dont il abordait les choses, le regard de l'Arabe qui l'avait assailli finissait par ressurgir, annihilant toute tentative de raisonnement : la malveillance qui s'y lisait, violente, démentielle, le laissait démuni. Ne restaient que le malaise et l'incompréhension de s'être senti pour la première fois, et avec une telle férocité, objet de la haine d'autrui.

Un chirurgien de l'hôpital avait fini par s'occuper de son cas ; une fois opéré, Manuel fut transféré à Blida, puis à Bel-Abbès, avec un plâtre qui lui prenait tout le thorax et maintenait son bras levé comme pour un indolent salut hitlérien.

Cet appareil l'avait démangé un peu dès le premier jour, puis très vite atrocement, si bien qu'il se grattait en permanence à l'aide d'un véritable carquois d'aiguilles à tricoter. Après un mois de supplice, Raynal consentit à enlever le plâtre pour vérifier : tout l'intérieur fourmillait de puces ! Pestant contre son confrère de Sétif, le chirurgien lui en avait mis un autre que Manuel garda jusqu'en décembre.

L'intervention de l'armée dans le Constantinois prit fin le 15 juin, mais la police et les milices civiles poursuivirent la « chasse aux merles » jusqu'en juillet sans que personne ne s'en émeuve. L'ordre régnait à nouveau en Algérie ; le sujet n'intéressait plus, sinon pour fustiger les revendications d'indépendance des indigènes et propager le récit officiel de leurs exactions.

Ce fut à cette époque que Manuel reconnut Albert Denier sur une photo de *Paris Match* ; il était exhibé encore alité, avec deux moignons sanguinolents à la place des bras. Le texte de la légende ne faisait pas dans la dentelle : « Cet homme est un colon laissé pour mort dans sa ferme incendiée après avoir eu les deux bras coupés. »

Mal soignées à l'hôpital de Sétif, les blessures du receveur des postes s'étaient infectées, au point qu'il avait fallu l'amputer pour le sauver de la gangrène. Cela n'était pas dit, bien sûr, ni que le malheureux avait refusé de reconnaître son agresseur lors d'une confrontation organisée par la police, affirmant avec courage que le seul responsable était le gouvernement colonial qui forçait les Algériens à se révolter.

169

Au mois de novembre, Manuel s'inscrivit en médecine à la faculté d'Alger. Avec son plâtre et sa tenue militaire, autant dire qu'il faisait forte impression dans les amphis ! Il paradait, jouait au ping-pong, dansait le swing, couchaillait chaque fois qu'il le pouvait, mais toujours avec sa main levée. Démobilisé le 28 janvier 1946, privé de son plâtre conquérant, il redevint simple carabin, sans perdre de son charme ni de sa bonne humeur.

Tout lui réussissait, lorsqu'il se mit lui-même dans le pétrin : l'idée saugrenue lui était venue de se moquer d'un prof d'histologie dont les manières affétées faisaient rire les étudiants. Monté sur l'estrade, entre deux cours, Manuel se dandinait, remuant du croupion, lorsque le professeur arriva derrière son dos.

— Écoutez-moi bien, avait chuchoté ce dernier en l'invitant du geste à aller s'asseoir : vous ne serez jamais reçu, jamais ; pas tant que je vivrai !

Manuel ne l'avait pas cru, mais la même semaine, un devoir impeccable sur les hormones lui revint avec un zéro pointé. À ses demandes d'explication, le professeur le prit à part dans son bureau :

— Je vous l'ai dit, mon petit espingouin, susurra-t-il de sa voix fluette, zéro, vous aurez toujours zéro…

Dégoûté, Manuel revint à Bel-Abbès le jour même, décidé à continuer sa médecine à Paris.

170

C'est durant cette période de battement, à la fin d'une séance de cinéma, qu'il aperçut Flavie Scotto, une rare beauté qui n'avait pas conscience de l'être et commençait à peine ses études de sage-femme. Elle flirtait plus ou moins avec un ami de Del Baño, mais surtout lui sembla si grande, si pure, si naturellement inaccessible qu'il n'osa pas s'en approcher.

Manuel s'installa à Paris. Une infirmière de l'hôpital civil lui avait donné l'adresse d'une vieille tante qui louait une chambre, petit déjeuner compris, dans son appartement. Avec les reliquats de sa solde et le peu d'argent que lui donnait sa mère, Manuel avait à peine de quoi survivre. Il s'empiffrait donc avant de partir à la fac, non sans récupérer à la cuisine des provisions pour la journée. Ayant vite remarqué le manège de l'étudiant, sa logeuse le mit à la portion congrue.

Un sucre, ou pas du tout ? disait-elle tous les matins en lui versant sa tasse de café. Et elle le surveillait jusqu'à ce qu'il s'en aille, après la tartine sans beurre qu'elle lui servait.

Comme il ramenait des filles chez lui, elle le jeta dehors au bout de quatre mois. Manuel trouva une pension de famille, rue de la Tombe-Issoire ; il y demeura trois ans, jusqu'à la fin de ses études à l'école de médecine. Durant son externat, il se perfectionna par périodes de six mois dans la plupart des hôpitaux de Paris.

171

Son grand copain de fac s'appelait Gabouli ; c'était un Ivoirien au physique d'athlète, avec lequel il faisait les quatre cents coups au Hot Club de France et dans les cabarets de la rue Montmartre. Pour se payer toutes ces soirées, ils traînaient de temps à autre sous la colonnade, derrière les grilles de l'université ; un gringalet à face de gouape finissait par les accoster : Ça vous dirait un peu de fric vite fait ? Un petit paquet, une adresse, et il fallait livrer dans l'heure ; en mains propres, surtout. Ils s'en chargeaient à tour de rôle, sans se poser de question sur le contenu. À la remise, il y avait toujours un bon pourboire.

Lors d'une de ces livraisons, Manuel sonna un jour à la porte d'un riche hôtel particulier. L'homme qui lui ouvrit, un zombi à cheveux blancs et costume de lin, fume-cigarette tremblant au bout des doigts, semblait tout juste revenu d'entre les morts.

— Suivez-moi, je vous prie, nous serons mieux au salon pour régler nos petites affaires.

Il le précéda dans une grande pièce au luxe décati. Manuel remarqua d'abord l'autruche empaillée sur laquelle on avait jeté négligemment un châle de soie brodé ; à ses pieds, deux peluches d'avant-guerre – un Mickey première mouture et un porcelet des *Trois Petits Cochons* – ouvraient grand des yeux de macchabée. Parmi les tableaux décrochés qui se trouvaient éparpillés, comme en attente de déménagement, un portrait du maréchal Pétain reposait, de guingois, entre les accoudoirs d'un fauteuil. Dans la même seconde, sur le divan où elle était à demi couchée, une femme se redressa en souriant. Son négligé découvrait plus qu'il n'aurait fallu la générosité confondante de sa poitrine.

— Carlotta, mon épouse ; c'est elle qui va s'occuper de votre commission. Moi, j'ai une affaire urgente à régler, dit-il en faisant cliqueter sous ses yeux un nécessaire à injection.

— Sainte Morphine, priez pour nous ! dit la femme, tandis que son mari s'éclipsait derrière une porte. Saviez-vous que Jules Verne a écrit un joli sonnet sur cette matière ? « Ah ! perce-moi cent fois de ton aiguille fine. Et je te bénirai cent fois, Sainte Morphine... »

Elle s'était agenouillée en parlant et débouclait

déjà la ceinture de Manuel, lorsqu'il retrouva ses esprits et s'enfuit à toutes jambes.

172

En 1949, sa dernière année de médecine, Manuel revint à Bel-Abbès pour un mois de congé. Ce fut pendant ces vacances qu'il eut l'opportunité de revoir Flavie Scotto, de près cette fois, puisqu'elle accompagnait Poucette, une amie d'enfance qui l'avait invité au cinéma. On y jouait *Arènes sanglantes*, avec Rita Hayworth et Tyrone Power, une chance ! La jeune fille terminait ses études de sage-femme, elle sortait d'un grand chagrin d'amour : durant le film, Manuel avait surpris certains regards qui le jaugeaient avec sympathie. Ce n'est pas si fréquent, mais il arrive parfois que tout s'agence pour contredire le chaos qui nous entoure, certaines forces invisibles convergeant sur un être comme sur une pointe de platine. Il arrive qu'on aime, sans le dire, sans se toucher, sans même s'embrasser, et que cette fêlure soudaine de la raison prenne l'aspect d'une aube définitive.

Dès le lendemain, Manuel écrivit à son directeur de thèse pour l'informer qu'il ne retournerait pas à Paris. Il restait en Algérie et finirait sa médecine à Bel-Abbès.

173

Un jour qu'il ramenait la jeune fille chez elle, il fit la connaissance de ses parents. Son père, Eugenio, travaillait comme ouvrier dans une fabrique de savon, sa mère, Fidélia, mourait à grande vitesse d'un cancer du sein et du poumon. Cette dernière l'avait pris en grâce, conquise par sa prévenance rassurante de médecin. C'est elle qui insista pour que sa fille, malgré les craintes exprimées par Flavie sur sa réputation de Don Juan, continue à le fréquenter. Il vaut de l'or, ce garçon, lui disait-elle, aime-le comme il t'aime, tu n'en trouveras jamais un autre qui lui arrive à la cheville. Elle mourut au mois d'avril 1950, et Flavie, désespérée, partit à Agadir accoucher sa sœur. Elle en revint malade de la tuberculose. On la soigna, sous la surveillance empressée de Manuel, puis elle fut envoyée dans un sanatorium en Savoie, à Briançon.

Pas un coup de téléphone, pas une lettre durant une année entière ! Devant ce silence incompréhensible, effrayant, et finalement insultant – elle allait bien, Manuel s'était renseigné –, il se remit à baiser les femmes d'officiers avec un zèle d'amoureux désenchanté.

174

En juin, Del Baño – qui tenait un salon de coiffure – vint le prévenir qu'une de ses employées était folle amoureuse de lui, mais que la chose commençait à tourner au vinaigre : Chaque fois qu'elle couche avec son mari, elle l'appelle par ton prénom, ça le fout en rogne, tu imagines ! Alors il faut que tu la voies, Manolo, que tu la raisonnes.

Rendez-vous fut pris avec une Arlette énamourée dont Manuel n'avait aucun souvenir. Elle s'était entichée de lui depuis tel regard, tel soir, au bal de la place Carnot. Il répondit, gêné, qu'il y avait méprise, qu'elle devait en finir avec ces élucubrations, et la quitta, persuadé que l'histoire en resterait là.

Il rejoignait Del Baño au café, lorsque le mari de la coiffeuse, surgi de nulle part, l'étala sur le trottoir d'un coup de poing magistral au menton. On ne sait pas ce que sa femme avait bien pu lui dire, mais après qu'on l'eut maîtrisé ce soir-là, il poursuivit encore Manuel pendant quarante-huit heures, le traquant dans toute la ville, revolver à la main, avant que la police ne réussît à le coffrer !

175

En mai 1951, Flavie revint à Bel-Abbès. Aussi incroyable que cela puisse paraître – c'est pourtant le signe distinctif de toute magie avérée – le charme opéra une seconde fois. L'un et l'autre recommencèrent à se fréquenter comme si un seul jour plutôt qu'un an venait de s'écouler. Quand ils décidèrent de se marier, Manuel en informa sa mère sans imaginer le moins du monde la violence de sa réaction. Comment ? Son fils, un docteur, avec une fille d'ouvrier ? Jamais de la vie, il faudrait lui passer sur le corps ! Avait-il perdu la tête ? Une pauvresse, une *espagueti* des faubourgs, alors qu'il lui suffisait de faire son choix comme un prince parmi les bons partis de la ville ! Manuel persistant à vouloir plaider sa cause, elle le gifla, puis le ficha dehors en le traitant d'ingrat et de fils indigne. Qu'il aille au diable ! elle lui coupait les vivres, il n'aurait qu'à bouffer des macaronis avec sa pouffe !

À Bel-Abbès, les colons n'auraient jamais fait entrer dans leur famille un fils ou une fille d'Espagnols, quel que fût son statut dans la société. Ils se mariaient strictement entre eux ou avec des officiers de la Légion, le lustre de l'armée compensant l'opprobre de la naissance. Avec les Arabes, ceux qu'ils appelaient « ratons », « melons », ou « merles » quand il s'agissait de leur tirer dessus, cela n'était même pas envisageable. Les Juifs aussi se mariaient entre eux, les Espagnols et les Italiens, pareil. Idem pour tous les autres. Chacune de ces catégories cultivant avec la même hargne l'orgueil de sa propre ascension sociale. Des histoires d'argent, de race et de préjugés absurdes, vieilles comme le monde, mais qui reproduisaient un schéma identique dans toutes les couches de la population.

Manuel se passa du consentement maternel. Il épousa Flavie sans cérémonie religieuse, avec deux témoins de circonstance qui voulurent bien leur rendre ce service. C'est René Justrabo, le seul maire communiste d'Algérie, qui les avait unis.

176

Flavie vint habiter à l'hôpital où Manuel avait droit à un logement minuscule. Il opérait chaque jour, jouissait déjà d'une excellente réputation, mais son traitement d'interne suffisait tout juste à rembourser le trousseau de luxe qu'il s'était empressé d'acheter à crédit, au *Grand Chic, la boutique de l'élégance*, pour habiller sa femme. Un remplacement inattendu à la clinique Raynal prit l'apparence d'un nouveau signe du destin : Manuel toucha son salaire en billets de banque, se paya deux costumes, et offrit à Flavie le voyage de noces dont elle rêvait : Malaga, Séville, Grenade ! Trois semaines d'une fulgurance andalouse qui suffiraient à enchanter le reste de leur vie.

Je n'ai pas peur

177

Mon père a assisté aux massacres de Sétif, il n'a rien fait, rien dit, rien ressenti, et je ne parviens ni à l'excuser ni à l'en blâmer. Il n'est pas si facile de percevoir ce que l'on voit ; il faut beaucoup d'efforts, de concentration sur l'instant présent, sur ce qu'il offre à notre regard, pour ne pas limiter nos yeux à leur simple fonction de chambre noire.

Aveugles : ceux qui se sont contentés de voir, tranche Heidegger. Il a raison, hélas.

178

Dans ma classe, en sixième, il y avait un grand dadais à peau blette, un blondin surnommé Gnocchi, que trois ou quatre démons s'acharnaient à humilier. Le stade où l'on nous emmenait jouer au rugby se trouvait à la lisière du village, près d'un bassin d'irrigation. Par un matin d'hiver, ses tourmenteurs le plongèrent dans l'eau glacée, l'empêchant d'en sortir jusqu'à ce que le sifflet du professeur les rappelle sur le terrain. Gnocchi pleurait à chaudes larmes, il grelottait, bleu, pris de tics, mais sa désolation, bien loin de susciter une quelconque sympathie, ne m'avait inspiré que de l'agacement. Je l'avais méprisé d'accepter sans réagir d'être traité ainsi, comme je méprise aujourd'hui l'enfant que j'étais de ne pas lui avoir porté secours.

179

La guerre est passée sur mon père, elle l'a roulé, secoué, tanné, endurci pour le meilleur et pour le pire ; il s'est laissé porter par elle, comme tant d'autres, jusqu'à ce que le flux s'affaiblisse et le dépose sur la grève. Un bois flotté dont je ne suis qu'une piteuse allégorie.

Arrête de divaguer, prends-toi en charge, nom d'une pipe !

Heidegger m'envoie des instructions pressantes, impérieuses, mais je les entends à peine, loin, très loin derrière le bruit parasite du carnage.

Combien de morts en tout ? Au 30 juin 1945, l'administration française avait compté avec certitude cent deux Européens tués, cent dix blessés et dix viols. Côté indigène, en revanche, ce fut et c'est toujours une estimation dont l'amplitude varie avec le temps et la volonté de minimiser ou de grossir le nombre des victimes. Entre le « moins de deux mille Arabes » du colonel Goutard et les « quarante-cinq mille morts » de l'historiographie officielle algérienne, la réalité se dérobe dans le flou qui sépare ces deux excès de la dissimulation. Plusieurs milliers de victimes, à coup sûr, mais dont le nombre importe peu au regard de ce que son caractère flottant suppose de ratonnades, de mitraillages à vue, d'exécutions sommaires, de fosses communes camouflées, de désintérêt total pour la personne humaine. Un chasseur ne se préoccupe pas, lui non plus, d'identifier chacun des merles qu'il a tués, mais il connaît au moins le chiffre exact de son tableau de chasse.

180

Lorsque le général Duval avait proclamé la fin de la loi martiale et rendu le pouvoir aux autorités civiles, personne ou presque n'écouta sa mise en garde : il leur donnait la paix pour dix ans, mais si la France ne faisait rien, si elle ne s'employait pas à réconcilier les deux communautés, tout recommencerait de façon irrémédiable. Cet avertissement fut raillé par ceux qui l'entendirent, c'était celui d'un défaitiste, d'un troufion qui ne comprenait rien à l'Algérie ni à la grandeur de l'empire. De tous les tirailleurs algériens engagés dans la répression, il n'y en avait eu qu'un seul pour choisir de se suicider plutôt que d'obéir et de tirer sur ses frères musulmans. Nétait-ce pas la meilleure preuve, soutenait-on, que les indigènes restaient fidèles au drapeau français ?

181

Les « indigènes », au vrai, c'était comme les oiseaux dans le film d'Alfred Hitchcock, ils faisaient partie du paysage. On ne les remarquait pas tant qu'ils se comportaient selon ce qu'on attendait d'eux. Mais un jour, voilà que leur nombre croissait sur les fils télégraphiques, puis qu'une mouette fonçait sur vous sans raison apparente ; une nuée de merles envahissait votre demeure, on retrouvait son voisin les yeux crevés ; venus d'on ne sait où, des centaines de corbeaux se mettaient ensuite à attaquer les enfants ; les stations d'essence explosaient, les cabines téléphoniques devenaient des pièges mortels et silencieux ; d'autres attaques, d'autres morts, on se barricadait chez soi, la peur au ventre, avec la certitude qu'une malédiction punissait la ville d'une faute très ancienne, jusqu'au moment où l'on était contraint de fuir, de s'échapper lentement sous le regard haineux de ces milliers d'oiseaux, enfin visibles, qui vous chassaient sans recours de leur territoire reconquis.

182

Après Sétif, la tragédie n'a plus qu'à débiter les strophes et antistrophes du malheur. Une mécanique fatale, avec ses assassinats, ses trahisons, ses dilemmes insensés, sa longue chaîne de souffrances et de ressentiment. Prologue, épisodes, exode : les enfants des meurtres fondateurs conduiraient l'intrigue jusqu'à son dénouement ; les uns finissant par tirer vengeance des atrocités commises, les autres par expier leurs crimes ou leur silence. C'est un Sophocle qui mène le chœur, un Eschyle qui souffle les répliques :

« Entendez-nous, dieux bienveillants ! Lavez par une nouvelle expiation le sang des meurtres antiques ; mais que désormais un crime passé n'amène plus un autre crime dans cette maison ! »

Car il y a un moment où il faut retrouver le bon sens de vivre, s'occuper à toute force d'être heureux.

183

Ça y est ? Tu as fini ton prêchi-prêcha ? Pense à sauver ta peau, arrête avec ces histoires, arrête !

Toujours de bon conseil, ce cher Heidegger... Dans mon manuel de sécurité nautique, un acronyme résume les états d'esprit à adopter pour « survivre avec le moral » : R.E.S.C.A.P. Je m'aperçois qu'à force d'en plaisanter, je l'ai mémorisé. « R » pour *Raison de vivre (en avoir une et s'y tenir)* ; « E » pour *État d'esprit positif permanent* ; « S » pour *Se maîtriser* ; « C » pour *Calculez vos risques* ; « A » pour *Analysez rationnellement les actions à mener* ; « P » pour *Pensée non conventionnelle.*

Le « R » me pose un sérieux problème. Revoir mes enfants ? Ma bien-aimée ? Écrire la biographie de mon père ? Ce sont les seules raisons qui me viennent à l'esprit, et je sais qu'elles ne suffiront pas, si béante est la fêlure de mon âme. Ça commence plutôt mal pour la survie.

184

Le cerveau crée, paraît-il, les substances chimiques capables de nous faire réussir, mais à condition de « penser positif ». Pas de paroles tristes, dire l'espoir, refuser la négation, jusque dans la tournure des phrases. Cultiver l'humour !

Quand mon père était revenu de Paris avec son diplôme en main, Juanico l'avait attendu à la gare pour le ramener en taxi au centre-ville.

— Comment va maman ?

— Pas très bien, ces derniers temps. *Tiene un clavo en el culo*. Elle ne peut pas tenir debout.

— Tu devrais faire attention, papa, je suis chirurgien, maintenant ; on ne dit pas « elle a un clou au cul », c'est trop vulgaire, ça ne va pas aller ! Si tu dois vraiment parler de ces choses, il faut dire : « Elle a un furoncle à l'anus », tu comprends ?

Juanico répéta la phrase plusieurs fois et promit de s'en souvenir. Arrivé au bar, il paya une tournée générale pour fêter le succès de son garçon. Ils étaient tous au comptoir, lorsqu'un ami lui demanda des nouvelles de sa femme.

— *Oye, compadre, cómo sigue Antoñetta ?*

— Elle est couchée, la pauvre, à cause d'un... d'un furoncle à... Juanico se concentra en vain, puis se tournant vers son fils : *Hijo, dígame*, comment tu appelles le cul de ta mère ?

J'ai toujours soupçonné mon père d'avoir inventé cette saynète, mais elle m'avait fait rire, adolescent, et procuré une sorte de jubilation d'avoir été admis à en partager la grossièreté. Elle contribuerait peut-être à remonter le moral d'un compagnon de naufrage – j'en doute fort, à vrai dire – mais son invraisemblance ne réussit qu'à me consterner.

185

La musique du portable se manifeste à nouveau. Je visualise mon père, assis gustavement dans son fauteuil ; il a composé le numéro et tend le combiné à ma mère : mon silence l'inquiète, il sait qu'on peut s'attendre à tout d'un énergumène comme moi. Rappelle ton fils, ce n'est pas normal, il répond toujours d'habitude. Si mon père ne téléphone pas lui-même, c'est parce qu'il est sourd comme un pot malgré son appareillage. Ma mère aussi, mais un peu moins, ce qui lui permet de discerner encore certains aigus lorsqu'elle porte son oreillette. Il faut les voir ajuster leurs engins du matin au soir : deux agents du FBI attentifs à recevoir on ne sait quels messages de leur direction ! Si j'avais pu répondre, cependant, la conversation n'aurait pas été sans mal : à son réveil, avant-hier, mon père a confondu le flacon destiné à son analyse d'urine avec celui où ma mère dépose ses sonotones : Excuse-moi, ma chérie, lui a-t-il dit, penaud, mais je crois bien que j'ai pissé dans tes oreilles... Passé le choc de cette miction à trois mille euros, ils sont partis d'un long fou rire, si fort, si hoquetant, si convulsif que j'ai sauté de mon lit pour me porter à leur secours.

En attendant ses nouvelles prothèses, ma mère fait contre mauvaise fortune bon cœur ; elle répond au hasard mais avec assurance à ce qu'on lui dit, et ne semble pas s'en porter plus mal.

186

Maîtriser l'émotion, la peur, la souffrance. Demandez-vous : Pourquoi ai-je peur ? Depuis quand ? Comment faire face ? En situation de panique : S.T.O.P. – S'asseoir, Tranquillement réfléchir, Observer, Planifier. S'abandonner sans crainte au sentiment religieux (voir prières en fin de manuel).

Je n'ai pas peur, ou pas encore. Quant à prier, j'ai toujours préféré la violence de mes angoisses au sommeil de la raison ; je suis heureux que mon cerveau m'épargne la déchéance d'une supplique. Prière chrétienne, prière orthodoxe, prière juive, prière musulmane, prière de l'incroyant... Le manuel ignorait les polythéistes, comme s'ils échappaient par nature aux fortunes de mer. J'avais biffé rageusement sourates et versets, puis copié dans les marges la fière injonction de Marc Aurèle : « Vivez une bonne vie. S'il y a des dieux et qu'ils sont justes, alors ils ne se soucieront pas de savoir à quel point vous avez été dévots, mais ils vous jugeront sur la base des vertus par lesquelles vous avez vécu. S'il y a des dieux mais qu'ils sont injustes, alors vous ne devriez pas les vénérer. S'il n'y a pas de dieux, alors vous ne serez pas là, mais vous aurez vécu une vie noble qui continuera d'exister dans la mémoire de ceux que vous avez aimés. Je n'ai pas peur. »

Je voudrais seulement dormir, dormir sans aucun rêve, si possible, et ne me réveiller que bien au chaud, dans une chambre d'hôpital où mon père serait là, en blouse blanche, avec son stéthoscope autour du cou.

QUATRE DE COUPE

Fontaine des Gazelles

187

Durant les deux années qui suivirent, les jeunes mariés continuèrent d'habiter à l'hôpital. Manuel fit un court séjour à Paris pour passer ses cliniques, un second pour y soutenir sa thèse, et revint à Bel-Abbès, déterminé à ouvrir un cabinet de chirurgien. Il lui fallut courir les banques jusqu'à ce qu'un directeur alsacien, Léon Knoll, accepte de lui prêter la somme requise sans exiger de garantie.

Tout était dans les tuyaux, à la mi-août 1953, lorsque Manuel fut rappelé pour une brève période militaire en Kabylie. Quinze jours de marches et d'exercices sous un soleil de plomb, qui ne lui auraient laissé aucun souvenir – à part celui d'avoir fait la sieste sur un bloc de glace, à Tizi Ouzou – s'ils n'avaient été marqués par un événement, d'apparence anodine, mais lourd d'implications.

Alors que sa compagnie s'était plus ou moins perdue dans les montagnes du Djurdjura, et qu'ils arrivaient, assoiffés, à bout de forces, près d'une mechta, le chef du village leur avait refusé de l'eau.

Il s'était contenté de cracher dans la poussière, et une nuée de gosses les avaient chassés du puits à coups de caillasse. Cette entorse aux principes sacro-saints de la charité musulmane le bouleversa. Il revint de Kabylie avec le sentiment d'une menace proche et la conviction, née de cette inquiétude lancinante, qu'Arabes et Européens n'avaient plus en commun qu'une seule et même hostilité. Si tant est qu'il eût jamais existé, le lien était rompu. Il fallait partir de ce pays, aller en France ou en Espagne, n'importe où plutôt qu'ici.

Manuel se promit d'en parler à Flavie dès son retour, mais lorsqu'il la retrouva, radieuse, et qu'elle s'empressa de lui annoncer la bonne nouvelle de sa grossesse, il ravala son appréhension : ce n'était pas le moment de l'effrayer inutilement.

188

En mars 1954, il s'établit enfin au faubourg Thiers, 1 boulevard Danton ; sa réputation à l'hôpital lui assura tout de suite une clientèle, et trois mois plus tard, Flavie mit au monde un gros bébé qu'ils prénommèrent Thomas. Leur vie s'organisa autour de lui, rythmée par les urgences, les gardes de nuit à l'hôpital et de courtes vacances au bord de la mer.

Sur le conseil de Léon Knoll qui possédait une villa à Fontaine des Gazelles, près d'Arzew, ils louèrent un cabanon jouxtant la vaste demeure du banquier ;

une terrasse commune, en surplomb au-dessus de la mer, leur permit de se fréquenter amicalement.

Héros de guerre, chirurgien en vue, Manuel Cortès était « l'Espagnol qui a réussi », un porte-drapeau de l'intégration que les notables français pouvaient convier sans honte à leurs parties de bridge. Bien qu'il votât centre gauche, tous les clubs politiques le courtisaient pour l'inscrire sur leur liste, comme garant de l'égalité des chances. Il refusait par principe, non sans pousser de mémorables gueulantes contre cette imposture électoraliste.

189

Au lendemain de la Toussaint, la même année, on apprit qu'une vague d'attentats meurtriers venait de frapper en une seule nuit différents points de l'Algérie. Le Front de libération nationale, un mouvement inconnu jusque-là, les revendiquait haut et fort, promettant de nouvelles actions et appelant les « Algériens » à se soulever contre la France coloniale.

Cette fois, Manuel fit part à Flavie de ses pressentiments. En Algérie, quoi qu'on fît désormais, la greffe ne prendrait plus. Il voulait quitter Bel-Abbès, construire leur avenir ailleurs, mais il eut beau tenter de la persuader, sa femme ne l'entendit pas de cette oreille : les choses s'arrangeraient, comme toujours ; l'armée allait intervenir, elle réduirait au silence cette minorité d'abrutis, ce ne serait pas la première fois ; et puis où aller ? Leurs racines étaient ici, les tombes de leurs grands-parents aussi, celle toute fraîche encore de sa mère. Et son père ? Ses sœurs ? Sa famille à lui ? On ne pouvait pas s'isoler ainsi de tout son monde, juste sur un coup de tête. Comment vivre sans confiance, sans espoir dans le bon sens des hommes ?

Manuel restait dubitatif, mais il sut gré à Flavie d'une résistance qui l'obligeait à une vision moins pessimiste ; c'était un curieux paradoxe, mais à force de vouloir élucider les choses par la seule raison, on finissait par rendre le monde charbonneux autour de soi.

Il acheta une DS noire, comme par défi, et se mit à apprendre l'arabe, pour compléter les notions de berbère acquises dans les tabors.

190

Outre ses amis d'origine espagnole, Manuel continuait à rencontrer quelques vieux copains d'enfance : Mahmoud Bendimered – sublime joueur de foot à l'USMBA –, son frère Djémil, un proche de Messali Hadj, Abdallah Aza, devenu pharmacien, et surtout le docteur Abdelkader Hassani, avec lequel il entretenait de vrais rapports fraternels.

Il eut aussi l'occasion de revoir Ali Belloul, son muletier de la campagne d'Italie. En de tristes circonstances, puisque sa femme et ses fils le lui amenèrent sur une civière, à l'hôpital. Une ruade l'avait frappé à la jambe, il ne pouvait plus marcher et hurlait dès qu'on l'effleurait. Après radiographie, Manuel lui annonça qu'il avait une double fracture du fémur. Il allait le garder ici pour l'opérer, pas moyen de faire autrement.

Ali n'était pas loin de se laisser convaincre, mais sa famille entra dans un long et bruyant conciliabule d'où il résulta qu'on ne le livrerait jamais à la médecine des roumis. Ces démons allaient le tuer, comme leurs frères à Sétif ou ailleurs !

— On va l'emmener voir le marabout, finit par dire son fils, avec l'aide de Dieu, c'est lui qui le guérira.

Manuel insista, objectant qu'Allah – loué soit-il – avait d'autres soucis plus urgents que de s'occuper d'une fracture, ils s'obstinèrent jusqu'à emporter Ali sur son brancard.

Dix jours après, alors qu'il sortait du bloc, Manuel reconnut le muletier, tout sourire, qui venait à sa rencontre. Il marchait parfaitement, bras écartés, comme pour témoigner de sa guérison miraculeuse.

— Excuse-moi, mon fils, mais là c'est ma famille qui avait raison : je suis allé voir le marabout, il m'a touché la jambe avec sa main, on a fait une prière ensemble, et – *hamdoulilah* – je suis reparti debout !

Il n'était pas venu plus tôt parce qu'il y avait eu beaucoup de travail à la ferme.

Manuel en resta ébahi, c'était rigoureusement impossible !

— Je suis heureux pour toi, réussit-il à dire. Après tout, il n'y a que le résultat qui compte. Tu veux bien qu'on fasse quand même une radio de contrôle ?

— *Mafish mushkela*[1], petit toubib. Il faut que tes yeux te disent !

Quand l'image fut développée, Manuel constata avec un mélange de stupeur et de soulagement que la fracture était toujours présente. Il fit venir Ali devant le négatoscope pour lui montrer :

— Je suis désolé, mon vieux, mais ta jambe est toujours cassée. Regarde : là, et là. Ton rebouteux n'a rien guéri, le seul miracle, et encore, c'est que tu aies réussi à marcher pendant tout ce temps…

Ali ouvrit la bouche, cligna des paupières, et s'écroula sur lui-même, terrassé par l'évidence comme sous la frappe d'une massue. Dans sa chute, il s'était fracturé aussi le péroné, ce qui compliqua l'opération, mais trois mois plus tard il partit sur ses jambes faire le pèlerinage à La Mecque pour remercier son Dieu.

Manuel n'aurait pas fait payer son camarade de guerre, mais en règle générale, il n'acceptait jamais le moindre sou des miséreux. Le docteur Hassani – qui faisait la même chose de son côté – lui avait enseigné une phrase qu'il s'efforçait de répéter littéralement à ses patients du village nègre : *Al-'aql li al-nazar wa al-qalb li al-samâ*[2]. Aux autres, il récitait le court passage du serment d'Hippocrate qui oblige tout médecin à

[1] « Pas de problème. »

[2] « L'esprit sert à voir, le cœur sert à entendre. »

ne commettre aucune injustice, et il y en avait une à se faire payer par un malade en lui ôtant le pain de la bouche.

191

En juin 1956, pour les deux ans de Thomas, Antoñetta condescendit enfin à revoir son fils. Elle le reçut de façon solennelle, se montra courtoise envers Flavie qu'elle rencontrait pour la première fois, fit la connaissance de son petit-fils et, rassurée par sa ressemblance avec Manuel, signa la paix des braves. C'est Flavie qui avait supplié son mari de mettre en œuvre cette réconciliation, par gentillesse naturelle et non pour lui rappeler son devoir filial, mais Antoñetta ne lui en fut pas reconnaissante ; pis encore, elle se comporta en marâtre de conte de fées, multipliant les petites humiliations, les sous-entendus, les caprices, sans pardonner jamais à sa belle-fille cette mésalliance qui avait selon elle flétri son nom. Manuel se fâcherait de nouveau avec sa mère, plusieurs fois, mais dans chacune de ces circonstances Flavie trouva en elle l'indulgence et la grandeur d'âme nécessaires pour les raccommoder.

Début décembre, alors qu'elle accouchait d'une fille, prénommée Jeanne, un entrepreneur de travaux publics bien connu fut tué d'un coup de revolver par ceux qu'on avait commencé à appeler des « fellaghas ». Puis une femme et sa fille de dix-neuf ans, et quinze jours plus tard un père de huit enfants. Protégée par la présence de la Légion, Sidi-Bel-Abbès était restée jusque-là une des villes les plus sûres d'Algérie ; les gens avaient appris les massacres de Philippeville, l'horrible attentat du Milk Bar à Alger, ils savaient que cent mille soldats écumaient les Aurès et le Constantinois à la recherche des « hors-la-loi » indigènes, mais la plupart se croyaient à l'abri de ces lointaines abominations. Tous prirent conscience d'avoir été rattrapés par les « événements », sans douter pour autant que l'horizon de l'Algérie française finirait un jour par s'éclaircir.

192

Malgré les attentats qui ne cessèrent d'augmenter en nombre et en violence, malgré la stupeur qu'ils provoquaient, les représailles de plus en plus dures, l'exaspération identitaire, l'anxiété latente des deux camps, ces années-là furent plutôt heureuses pour les Cortès.

À l'hôpital, Manuel n'empochait pas grand-chose ; il était mieux rémunéré à la clinique Raynal où son mentor l'avait choisi pour le seconder. L'argent ne coulait pas à flots, loin de là, mais il y en avait suffisamment pour vivre à l'aise et, sur ce plan du moins, envisager l'avenir avec sérénité. En juillet 1957, après avoir confié leurs enfants à l'une des sœurs de Flavie, Manuel et sa femme se permirent deux semaines de vacances à Paris. Ils en revinrent avec une petite Bolex 8 mm et le projecteur adapté à ce format.

Mes premiers souvenirs – ceux de Thomas, on l'aura compris – datent à peu près de cette époque. Ils ont la couleur passée des films que mon père ne cessa de tourner à partir de son retour.

193

Au faubourg Thiers, l'institutrice de mon école maternelle avait construit dans sa classe une maison de poupées sans pareille : la chaumière de Nils Holgersson, telle qu'elle est décrite dans le roman de Selma Lagerlöf. Tout y était, les animaux de la ferme, les meubles, le coffre de la mère rempli de robes en drap rouge, jusqu'au lutin avec sa monnaie d'or et sa cuiller d'argent. Cette sage femme nous en lisait chaque matin le court extrait qui inspirait ensuite le reste de nos activités scolaires. Quand nous en fûmes à ce passage où Nils est subitement transformé en Petit Poucet, je savais épeler mon nom. Deux pages plus tard, presque à la fin de l'année, quand le chat, gueule ouverte, plante ses griffes dans sa poitrine, j'avais appris à lire. Lorsque les oies sauvages, enfin, s'étaient montrées, j'avais sauté sur le dos du jars, et n'en étais jamais redescendu.

Consciente de l'effet produit sur moi par ce petit bonhomme, Flavie m'avait rapporté de Paris une figurine en latex à son image. Je ne m'en séparais plus.

Lorsque nous partions à Fontaine des Gazelles, c'est lui qui montait dans le Nautilus luisant et profilé du docteur Cortès, visait les cibles du paysage à travers le cercle rouge du caducée collé sur le pare-brise, lui dont je sauvais la vie sans désemparer durant notre séjour en bord de mer.

194

En contrebas du cabanon, au bout d'un escalier aménagé sur la pente, il y avait une crique miraculeuse. Un port naturel minuscule, protégé par quelques écueils, où l'on pouvait se baigner à partir d'une plate-forme de béton. Une échelle de ferraille scellée dans la roche donnait accès à cette profonde piscine ; c'était aussi le seul moyen d'en ressortir, tellement les alentours, hérissés de picots et d'oursins, rendaient la côte inabordable. De part et d'autre, le rivage formait une banquette rocheuse qui se continuait sur une trentaine de mètres avant que la falaise ne se dresse abruptement. La mer y avait creusé nombre d'anfractuosités blanchies par les vagues, des aquariums saturés de sel où crabes et gobies, parfois même quelques crevettes, trouvaient moyen de survivre en espérant la prochaine tempête.

C'était mon paradis, mon *omphalos*, le nombril sacré qui reliait au monde ma petite personne, l'initiant jour après jour à ses mystères d'ocre et d'outremer.

Par mer calme, je pêchais là durant des heures avec une canne et un triple hameçon qu'il suffisait de relever d'un coup pour accrocher une girelle ou un gendarme multicolores.

Les jours de grand vent, lorsque la mer déferlait avec violence, déroulant son écume sur le rivage, je jouais à la mort dans cette bave bouillonnante. Les films montrent un gamin sérieux, occupé à courir d'une cuvette à l'autre, au milieu des remous, pour se saisir d'un objet si petit qu'il n'apparaît jamais. C'est Nils que je jette loin dans la vague, au risque de le perdre – ce qui me briserait le cœur – pour suivre sa course dans le bouillonnement de l'eau, et me porter ensuite à son secours. La Bolex a fixé ces instants de loin, sans en comprendre le terrible enjeu. Elle n'était pas là, en revanche, cette matinée de gros temps, lorsque jouant au même sauvetage éperdu, je tombai à la mer en essayant de rattraper ma figurine. Je la serrais entre mes doigts, brassé au fond de l'eau sans savoir nager. Je me souviens d'avoir eu conscience de mourir bêtement, et trop jeune – cinq ans à peine –, mais aussi du tyrannique besoin de vivre qui me fit ouvrir les yeux et entrevoir les barreaux de l'échelle. Je m'y étais agrippé jusqu'à remonter peu à peu sur la plate-forme.

J'éclatai en sanglots à mi-chemin du cabanon : pour sauver ma peau, j'avais été obligé de sacrifier Nils Holgersson.

195

Il y a aussi des images de hula hoop, avec Marie-Luz, l'une des filles Knoll ; elle ne doit pas avoir treize ans et se déhanche au milieu d'un cerceau du plus beau jaune. Elle est bronzée, elle a des taches de rousseur partout sur le visage, ses dents brillent comme des boucliers d'argent. Je l'aime en secret, elle aussi j'en suis certain, puisqu'il m'est permis de poser la tête sur son ventre, tandis qu'elle s'allonge, encore mouillée de sa baignade, sur la terrasse.

Sous notre cabanon, il y a un entresol ouvert qui sert à étendre le linge. J'y ai déniché une paire de vieux fleurets mouchetés avec lesquels je joue à d'Artagnan. Madeleine, l'épouse d'un ami de mon père, me rejoint à l'heure de la sieste. J'ai six ans, elle en a une quarantaine ; son maillot une pièce, à pois et petits volants, bombe anormalement, avec des plis, des pointes, des échancrures qui me font battre la chamade. Elle a pris un fleuret, ô joie, elle me défie ! En garde, Milady !

Au deuxième assaut, elle pique si fort dans ma poitrine qu'une grosse goutte de sang perle sous mon sein gauche. Inquiète de ma pâleur soudaine, de mon vacillement, elle se penche sur ma blessure, la lèche, puis voyant qu'il s'agit d'un simple bobo, m'embrasse sur la bouche en me faisant jurer de ne rien dire.

Mes parents n'ont jamais su quoi que ce soit de cette escarmouche, ni que j'avais tremblé durant des jours – fils de médecin oblige – à l'idée d'attraper le tétanos.

196

J'étais un petit garçon trop entouré de femmes, sans doute. Durant ces longues vacances – qui se confondent entre elles et s'agrègent en une seule bobine de souvenirs – Manuel se consacrait exclusivement à la pêche. Je le voyais un peu le soir, lorsqu'il salait ses sardines pour le lendemain et me montrait comment procéder quand j'aurai un jour à le faire moi-même, mais il partait chaque matin à l'aube pour ne revenir que vers quinze heures.

Après un attentat à la grenade, le docteur Cortès avait opéré en urgence une petite Henriette, la fille d'un charpentier de marine ; il lui avait sauvé la vie. Fou de gratitude, le père ne trouva rien de mieux à lui offrir qu'un superbe pointu en iroko, construit de ses mains, et baptisé du prénom de son enfant. *L'Henriette* était mouillé à Arzew. Manuel en laissa la pleine jouissance à un vieux pêcheur du coin, Miguelete, sous la seule réserve de pouvoir l'utiliser un mois pendant l'été. Ravi de cet arrangement, l'homme venait prendre mon père en bateau, à Fontaine des Gazelles, puis le ramenait au même endroit après sa partie de pêche.

Un peu avant quinze heures, nous descendions sur la plate-forme pour assister, émerveillés et consentants, à la gloire de son retour.

Manuel est à la barre, Miguelete aux avirons, car on ne peut franchir la passe au moteur. Ils jettent l'ancre, s'activent quelques minutes pour rincer le poisson avant de débarquer. Mon père porte sa chemise bleue, il est épanoui, heureux de montrer ses prises. Il y a parfois d'énormes dentis, des murènes, des corbs ou des badèches, mais toujours deux ou trois mérous au ventre dilaté. Les pauvres bêtes sont jetées dans les flaques où elles gigotent et battent encore de la queue. Je n'éprouve aucune pitié envers ces choses que nous allons manger, mais je voudrais être à la place de mon père, ou du moins revenir de la pêche avec lui pour que son prestige rejaillisse un peu sur moi.

Ensuite, c'est la séance photo sur le rivage. Il faut que nous exhibions les uns après les autres chacun de ses trophées. Pour ma petite sœur en bikini, c'est une daurade derrière laquelle son visage disparaît tout entier ; ma mère, deux dentis qu'elle fait mine de bercer sur sa poitrine ; moi, un mérou si imposant que je n'arrive pas à le soulever. Ce jour-là, mon père n'en a que pour les dentis. Je le comprends, ils sont beaux, ces dentis, ils brillent sous le soleil comme de précieuses offrandes, montrent les crocs lorsqu'on soulève leurs babines, ce sont des dieux jumeaux soustraits aux profondeurs, des énigmes.

Sur les albums où Flavie a rassemblé soixante années d'images estivales, il n'y a pas une seule photo de nous sans l'une de ces divinités au premier plan.

197

Pour fêter ça, on a invité Miguelete à prendre l'apéritif. Il nous rejoint au cabanon un peu plus tard, impressionné par les toasts à la soubressade que ma mère a préparés. Mon père a eu le temps de se laver, mais l'odeur de sardine est tenace. Même après la douche, elle flotte autour de lui et finit par l'emporter sur le nuage de lavande dont il s'asperge au sortir de la salle de bains. Miguelete nous serre la main comme s'il ne nous avait pas déjà salués tout à l'heure, à l'arrivée du bateau. C'est un bon bougre, je le sais, mais quand il se présente devant moi, voilà qu'au lieu de lui répondre avec gentillesse, je lui sors une grossièreté !

Pourquoi lui avoir dit ce mot jamais encore prononcé, mais dont j'avais pu vérifier chez mes camarades d'école la puissance dévastatrice ? À y réfléchir, je pense que c'était par jalousie. J'en ai voulu à cet homme d'être le compagnon privilégié de mon père, celui à qui il consacrait le plus clair de son temps, plutôt que de m'emmener sur le bateau, de se baigner ou de jouer aux mousquetaires avec moi. J'ai allumé la mèche calmement, sans colère ni défi : je lui ai dit « merde », comme un garçon bien élevé aurait dit « bonjour monsieur ».

Les yeux fixés dans les miens, Manuel avait fait un nœud à sa serviette de table et, sans se départir de son calme, m'en avait donné un coup sec sur les fesses.

— Va dans ta chambre, et n'en bouge plus.

Il m'y rejoignit après l'apéritif, toujours aussi placide, mais avec un pot de moutarde à la main.

— On ne doit pas dire de gros mots, souffla-t-il, son regard planté dans le mien. Jamais ! Ouvre le bec, s'il te plaît.

Plongeant deux doigts dans le pot, il préleva une grosse noix de moutarde et m'en barbouilla l'intérieur de la bouche.

— Pour que tu te souviennes, Thomas. On se voit demain, tu es privé de dîner pour ce soir.

Sur sa requête, ma mère vint me porter une belle part de tarte aux pommes, vers vingt-deux heures, juste au moment où j'imaginais son désespoir lorsqu'elle me trouverait mort de faim dans mes draps blancs.

198

« Autrefois, écrit Alain, le rite voulait qu'on ne plantât aucune borne sans la présence d'un jeune enfant à qui on appliquait soudain un grand soufflet ; c'était s'assurer d'un bon témoin ; c'était fixer un souvenir. » C'est aussi la thèse de Nietzsche, lorsqu'il s'interroge sur la façon d'imprimer durablement quelque chose dans nos esprits. L'appliquer au fer rouge a toujours semblé aux hommes le moyen le plus commode, car « seul ce qui ne cesse de faire souffrir reste dans la mémoire ».

Je mentirais en disant que cette leçon continue à me faire souffrir, ou même qu'elle ait terni plus de quelques heures la joie sans mélange de mon enfance, mais le fait est qu'aujourd'hui encore je n'ai besoin d'aucune moutarde pour épicer mon andouillette : il me suffit de prononcer mentalement n'importe quel juron pour qu'aussitôt ma gorge brûle et que de grosses larmes me viennent aux yeux.

Trois grenades et un pistolet

199

Il m'arrive aussi de visualiser les rideaux de ma petite fenêtre, lorsque la brise écarte leur voilage sur l'intermittence paisible de la mer ; des saveurs anciennes ressurgissent alors, un mélange d'arômes et d'images associés à la douce mélancolie d'une fin de vacances perpétuelle : la fleur d'oranger des *mounas*, ces brioches qu'on offre par tradition le jour de Pâques, les gouttes d'Antésite développant dans l'eau froide leurs volutes de réglisse, le créponné à la terrasse du Capriccio, sa texture de neige, l'amertume des zestes de citron, le bruit que fait la paille au moment d'aspirer la glace liquide au fond du verre. Des petits riens dont on ne sait pourquoi ceux-là surnagent plutôt que d'autres, des miettes de sens qui font la matière grise de la mémoire.

Tu t'es noyé une fois, et tu en es revenu : tu es un rescapé, me crie Heidegger en épelant le mot. Ce qui a été fait un jour, on peut le refaire une seconde fois !

Je ne veux pas l'entendre, je suis trop bien là où je suis, blotti dans la torpeur lénifiante de l'enfance.

En 1958, l'année des dentis, de la moutarde et du fleuret, mon père et ma mère s'étaient disputés pour la première fois. À cause du référendum ! Manuel suivait avec passion le cours politique des événements ; pour avoir lu et relu les discours de Bayeux, il voyait d'un mauvais œil le retour programmé du général de Gaulle. Le conflit algérien, disait-il, ne servait à cet homme que de marchepied pour se remettre en selle. Un bonapartiste : de l'enflure, du dédain, de l'imposture ! Comment ne pas reconnaître dans sa vision dirigiste de l'État la Révolution nationale héritée du pétainisme ? Ça crevait les yeux ! La nouvelle Constitution qu'il proposait lui donnerait des pouvoirs quasi dictatoriaux : c'était un coup d'État à peine déguisé.

Depuis qu'on leur avait octroyé le droit de vote, juste après-guerre, les femmes s'étaient peu impliquées dans les élections ; ou elles avaient voté comme leur mari. Cette fois-là – ce fut la seule, mais elle se l'entendrait reprocher gentiment toute son existence – ma mère s'était dissociée de son époux, elle avait voté pour le « oui », comme 79 % des Français de métropole, et comme 96 % des votants européens et musulmans en Algérie. L'appel au boycott du FLN n'avait eu aucun effet ; c'était toute la population – indigènes compris, et à une très forte majorité – qui entérinait l'un des aspects majeurs du référendum :

répondre par l'affirmative, avait prévenu de Gaulle, cela voudrait dire que l'Algérie resterait française. À peine investi, le général s'était empressé de confirmer la chose lors d'un voyage à Constantine, puis à Mostaganem. Tout le monde ou presque avait eu foi en cette promesse.

Loin de décroître, les attentats se multiplièrent, frappant désormais la métropole presque aussi souvent que l'Algérie.

201

En septembre – le 22, mon père s'en souvient parce que c'était au lendemain du mitraillage d'un manège d'enfants à la Patte d'Oie – le docteur Hassani vint sonner chez nous, tard dans la soirée. Sa voix tremblait d'émotion : il rejoignait le FLN, et demandait à Manuel de veiller sur sa famille. Décontenancé par son regard d'animal traqué, mon père avait donné sa parole sans chercher à le raisonner. Hassani était passé la nuit même en Tunisie, et l'on n'avait plus entendu parler de lui. Lorsqu'il revint à Bel-Abbès, après l'indépendance, il retrouva sa femme et ses enfants là où il les avait laissés. Manuel s'était occupé d'eux avec sollicitude, allant même, au pire des vengeances aveugles que suscitait la guerre, jusqu'à intervenir en catimini pour qu'ils n'aient rien à craindre des fous furieux de l'OAS.

Plus une seule journée ne s'écoulait sans qu'on

apprît de nouveaux meurtres aussi atroces qu'arbitraires, de nouveaux drames dont la fréquence s'accentuait, mais qui semblaient s'évanouir presque aussitôt, comme absorbés par le soleil. Européens et musulmans croyaient encore, ou s'efforçaient de croire au caractère momentané de ce dérèglement. Les fellaghas, disait-on, n'étaient qu'une bande d'assassins, une minorité de terroristes sans foi ni loi qui n'hésitaient pas à massacrer leurs propres compatriotes. L'armée les traquait dans les moindres rues de la casbah ; encore un peu de patience, et elle finirait par mettre un terme à ce cauchemar. En attendant, la vie est ainsi faite qu'on s'habituait aux grilles de protection sur les fenêtres des autobus, aux détonations assourdies, aux crépitements lointains, aux taches rouge sombre qui peinaient à s'effacer sur les trottoirs.

Fin 1959, lorsque de Gaulle fit son discours sur le droit à l'autodétermination du peuple algérien, ce fut pour les pieds-noirs comme si leur sauveur s'était détourné d'eux ; quand il fit tirer la troupe sur des manifestants français, lors des émeutes qui se déroulèrent à Alger l'année suivante, il devint évident pour tous qu'il était passé à l'ennemi.

Après la semaine des barricades, Manuel n'avait pu s'empêcher de rabrouer sa femme :

— Tu vois, tu vois un peu ce qu'il a fait, ton de Gaulle ?

Elle ne lui en garda pas rancune, sachant que son

mari réagissait ainsi par inquiétude pour elle et leurs enfants ; il avait raison, elle aurait dû l'écouter, ils auraient dû partir depuis longtemps ! Leurs frères et sœurs étaient déjà en France, il n'y avait plus qu'eux pour s'entêter ainsi. Voyant à quel point la tournure que prenaient les choses la tourmentait, Manuel entreprit de la rassurer : la situation pouvait encore évoluer ; c'était leur pays, après tout, s'en aller maintenant serait d'une lâcheté sans nom !

— Alger, c'est Alger. Tu peux me faire confiance : ici, à Bel-Abbès, la Légion ne nous laissera jamais tomber !

202

À force de chercher des arguments pour lui redonner espoir, Manuel avait fini par se persuader lui-même. Il rassembla toutes ses économies, emprunta le reste, et fit rénover une belle villa qui leur avait tapé dans l'œil, au 2 rue du Parc, non loin du siège de la gendarmerie. Il emménagèrent en janvier 1961, peu avant la naissance de Julie, ma seconde sœur.

C'est à ce moment-là que tout bascule et que leur monde, au fur et à mesure qu'il se disloque, se met à interférer par petites touches avec le mien.

203

Je vis dans une partie africaine de l'Empire français, et je ne le sais pas. J'habite rue du Parc, sur la route qui mène au « village nègre », et je n'ai aucune notion de ce que cela veut dire. Il me faudra de nombreuses années pour apercevoir ce qu'il y a d'odieux dans ce toponyme où je n'entendais tout gosse que « Villajnègue », comme on entend Villeurbanne ou Ventabren, sans que cela produise le moindre sens dans notre esprit.

Je joue à « l'ange blanc » avec la cagoule de catcheur reçue à mon anniversaire, ou à Ivanhoé sur le perron – la balustrade m'y sert de rempart – ou aux « pignoles » avec ma sœur ; c'est chacun son tour, mais pas ce que vous croyez : on cache des noyaux d'abricots dans une main, on la secoue pour les faire s'entrechoquer, et l'autre joueur est censé en deviner le nombre. S'il tombe juste, il gagne les noyaux ; s'il se trompe, il doit puiser dans son propre sac le nombre annoncé et payer sa dette. On se bourrait d'abricots jusqu'à s'en rendre malades à seule fin de reconstituer notre fortune ! Ma mère passe entre les rosiers, son bébé dans les bras ; elle chantonne pour l'endormir : « Pan pan, l'Arbi, les Arabes sont par ici ; par ici, par là-bas, sur la route de Mascara... » Elle n'y voit pas malice, c'est ce que lui chantait sa mère qui répétait déjà ce que lui avait chanté la sienne. Je suis dans le jardin qui entoure la villa – mes parents disent toujours « la villa », pas « la maison » ou autre chose, et c'est vrai qu'elle en sort grandie, détachée, comme si tout le reste de la ville s'effaçait derrière sa blancheur –, il y a un bassin rempli d'eau claire, toutes sortes de fleurs aux noms évocateurs, des gueules-de-loup, des becs-de-grue, des immortelles, une grande volière de canaris qui picorent les graines entre mes doigts, un jeune chien – celui de ma sœur – courant après les guêpes, c'est un paradis d'enfant dont je n'ai plus le droit ni le désir de franchir les grilles : dehors, sur le rond-point, un petit Arabe m'a bousculé au retour de la boulangerie, il a pris la baguette de pain, forcé mon poing à s'ouvrir pour s'emparer de la monnaie. Ça n'est pas bien méchant, a dit mon père, mais je ne veux plus qu'il sorte tout seul. Aïcha, la dame qui vient tous les jours aider maman s'est mise en colère en apprenant cette mésaventure : C'est que des voyous du village nègre, des fils de chiens ! Elle a des signes bleus tatoués un peu partout sur le visage, ça m'impressionne, on dirait le cannibale sur les illustrations de *Moby Dick*.

204

Et puis il y a ce matin d'avril où l'on me fait tenir un journal sur le perron pour mieux filmer la une. C'est *L'Écho d'Oran*, et sous le titre il y a d'énormes lettres qui occupent toute la page : « L'armée a pris le pouvoir ». Je lève les yeux par-dessus la feuille ; mon père a l'air tout excité, ça doit être une bonne nouvelle. Ma mère se mordille la lèvre inférieure, c'est moins bon signe. D'autant qu'ils parlent en espagnol pour que je ne comprenne pas. J'entends quand même « Jouhaud », « Salan », et le mot « putsch » qui revient. Je n'en connais qu'un autre avec cette sonorité-là, il désigne une espèce de raie dont Miguelete m'a dit de me méfier à cause de son aiguillon venimeux. Ça m'embrouille la tête. J'imagine Jouhaud et Salan comme deux pêcheurs qui ont ramené un « tchouchte » énorme, si gros, si dangereux qu'il a fallu l'intervention des militaires pour s'en débarrasser.

205

Et puis c'est à nouveau les vacances au cabanon, la pêche, les baignades ; Aïcha et sa fille de treize ans sont avec nous, et cette fois, mon père nous emmène tous à Arzew faire un grand tour sur *L'Henriette*. On fête la Saint-Louis, il y a des centaines de bateaux pavoisés pour suivre le véhicule amphibie qui promène une statue de la Vierge. Elle se distingue à peine derrière les bannières, les enfants de chœur, les marins à pompon, mais sur l'enseigne en demi-lune établie sur la poupe, j'arrive à lire : « Notre Dame du Refuge, priez pour nous. » Sur *L'Henriette*, c'est mon père qui est à la barre, concentré, mais il me laissera conduire un peu. Ma mère protège le bébé des embruns, elle a son grand sourire des beaux jours ;

mon autre sœur couine parce que sa jolie robe est mouillée. Aïcha la prend sur ses genoux, le vent gonfle son voile blanc, l'entrouvre, menace de l'emporter ; sa grande fille, tête nue, l'aide en riant à se rajuster. La barque fend les vagues de sillage des autres embarcations, ça monte, ça descend, les éclaboussures font crier les filles. Nous sommes heureux d'être ensemble, de voguer sur l'eau serrés comme des sardines, sans savoir que nul d'entre nous ne remontera plus jamais sur ce bateau.

206

Et puis c'est la fin de l'été. Aïcha et sa fille sont reparties en train, faute de place dans la DS. Ma sœur et moi sommeillons à l'arrière, le berceau du bébé entre nous deux. À l'entrée de Bel-Abbès un barrage de police contraint notre voiture à prendre place dans une file de véhicules. Les policiers ouvrent les coffres, font descendre les passagers, fouillent les habitacles. Il y a aussi des militaires et une automitrailleuse sur le côté. De l'endroit où je suis, à droite sur la banquette, je vois mon père blêmir. Il avance de quelques mètres, stoppe une nouvelle fois, profite de cet arrêt pour se pencher du côté de ma mère. Aussitôt après, je le vois se tourner vers moi, soulever le matelas du berceau où ma petite sœur gazouille, et glisser dessous ce qu'il a pris dans la boîte à gants. J'ai eu le temps de reconnaître un revolver et trois grenades, semblables à celles qui me fascinent dans les aventures de Buck Danny. Sourcils froncés, doigt sur la bouche, mon père m'ordonne de garder le silence. Quelques minutes encore, et un policier s'approche. Il fait le tour de la voiture, remarque le caducée :

— Bonjour, docteur. Contrôle de sécurité, vous transportez des armes dans la voiture ?

Sidéré par la question, Manuel choisit de dire la vérité.

— Trois grenades et un pistolet...

L'homme se force à sourire :

— Vous ne devriez pas plaisanter avec ça, toubib. Allez, roulez, les enfants doivent être pressés d'arriver à la maison...

Mon père n'a pas desserré les dents jusqu'à la villa. En sortant le berceau de la voiture, il m'a quand même donné une explication. Les armes, c'est pour nous protéger en cas de besoin, pas pour faire du mal à qui que ce soit, mais il ne faut parler de ça à personne. Ce serait dangereux pour nous et pour son beau-frère, le légionnaire, qui les lui a procurées. D'accord ? D'accord.

207

Et puis la neige, en janvier, qui tombe à l'improviste ; c'était donc ça, la neige, cet affolement des anges ! J'erre tout seul dans le jardin, le pas frileux, chancelant presque, si forte est l'impression d'une innocence révélée. Ce qu'une chose peut être rouge lorsqu'elle s'isole au beau milieu du blanc ! C'est vers elle, bien sûr, que je me dirige, sur elle que mes doigts se ferment sans défiance, jusqu'à reconnaître la longue lame, salie de sang, d'un couteau de boucher. En me voyant paraître dans la cuisine avec mon butin, ma mère manque s'évanouir. Branle-bas, police, expertise : c'est l'arme d'un crime commis la nuit dernière. Un menuisier s'est fait égorger par un fellagha devant sa femme et ses enfants ; l'assassin n'a pas été retrouvé, mais il a balancé son couteau par-dessus la grille durant sa course vers le village nègre.

208

Et puis ces longues soirées où nous sommes allongés sur la terrasse pour attendre minuit, la fraîcheur des carreaux de faïence dans mon dos, l'éclaboussement d'étoiles qui tourne au-dessus de moi, avec cette lenteur inexorable, mais cette sorte de hâte aussi, de rage pathétique, semblable à celle du soleil lorsqu'il se jette dans la mer ; mon père a une casserole dans la main gauche, une louche dans la main droite, il ne cesse de regarder sa montre, et à l'heure dite, voilà qu'il se met à taper dessus de toutes ses forces, trois coups brefs, deux coups longs qui résonnent et s'amplifient soudain jusqu'à faire exploser la nuit : ce sont des milliers de casseroles, de poêles à frire, de couscoussiers qui retentissent au même instant, à Bel-Abbès, à Oran, à Alger, à Constantine ; partout, dans le moindre village, c'est tout le fer-blanc de l'Algérie qui se cabosse. Nous nous y mettons, ma sœur et moi – il y a toute une batterie de cuisine sur la terrasse. Tapez fort, a dit mon père, le plus fort possible, il faut absolument qu'on nous entende ! Je ne sais pas qui ou quoi doit nous entendre, mais je frappe de toutes mes forces, emporté par ce qui me dépasse dans ce rythme martial, par ce que j'y perçois d'outrance et de détresse vaine. Ti ti ti, Ta ta ! L'Al-gé-rie fran-çaise ! Ti ti ti, Ta ta ! Deux lettres, en morse, même pas un S.O.S.

Lorsqu'on redescend, mon père a les épaules basses, le bébé pleure, ma mère ne parvient pas à calmer l'effroi qui hurle entre ses bras.

209

Il n'y a plus d'école. Ce n'est pas les vacances, pourtant, mais les parents nous jurent que c'est mieux ainsi. Ma mère nous fait la classe à la maison, il n'y a que mon père qui sorte de jour comme de nuit pour se rendre à l'hôpital. Il a le teint gris, les yeux cernés.

Toutes les nuits sont longues, désormais. On entend des explosions, des rafales, très proches parfois, comme celle qui nous a réveillés lorsque des militaires sont montés sur le toit de la maison. Ma mère essaye de nous rassurer : c'est la Légion qui fête

Camerone, ou un feu d'artifice qu'on tire sur la place Carnot, ou les pétards du carnaval... On fait plus ou moins semblant d'y croire, mais je vois bien la peur sur son visage.

Un soir, quelqu'un sonne à la grille, insiste, et mon père met un temps fou avant de se décider à sortir dans le jardin. C'est la femme du docteur Hassani. Elle a bravé le couvre-feu pour venir nous offrir les gâteaux du ramadan. Des *zlabia*, des *makrout*, des cornes de gazelle disposés sur une grande assiette dorée recouverte d'un torchon.

— *Ramadan mubarak*[1], docteur ! Merci pour tout...

Elle a porté la main à son cœur et s'est sauvée, sans laisser à mon père le temps de l'inviter à entrer chez nous.

210

Les premières cigognes reviennent, les grandes chaleurs aussi, mais il n'est plus question d'aller à la plage. Quelque chose ne va pas, ma mère a les yeux rouges, elle dépoussière la maison du matin au soir, vide les penderies, les range, se fige dans une embrasure de porte et regarde autour d'elle, égarée, jusqu'à ce que l'un de nous la tire par la jupe.

Et le jour vient où je surprends mon père dans la

[1] « Bon ramadan. »

cuisine : il a déplacé le frigo pour dégager une bouche d'aération, enlevé la grille ; les trois grenades, le pistolet, je le vois qui les cache dans le conduit en enfonçant le bras jusqu'à l'épaule. Lorsqu'il se retourne, j'ai droit à un clin d'œil de connivence :

— C'est fini, mon grand. On n'en aura plus jamais besoin… Tu m'aides à repousser le frigo ?

Ensuite le téléphone sonne, et ce n'est pas peu dire que le monde s'écroule. Un convoi militaire part demain pour La Sénia. Le dernier, sans doute. Deux valises, pas plus. On sera prêts, a dit mon père.

En fait, les valises sont bouclées depuis longtemps, il n'y a plus qu'à les sortir du placard où elles sont dissimulées. Les parents nous réunissent dans le salon, il va falloir être courageux, c'est un voyage sans retour qui nous attend. Je ne suis pas sûr d'avoir tout compris, mais à la fin, je me retrouve dans ma chambre, assis sur un coin de lit, avec ce vide en moi, cette hébétude où je reconnais celle de ma mère durant les jours qui ont précédé. J'ai ouvert *L'Étoile mystérieuse*, mon album préféré ; l'asphalte colle à mes pieds, je transpire, j'étouffe, j'entends le gong du prophète Philippulus : « C'est le châtiment ! Faites pénitence !… La fin des temps est proche, tout le monde va périr, et les survivants mourront de faim et de froid, et ils auront la peste, la rougeole et le choléra ! »

On ne peut rien emmener, même pas un livre. Aïcha est venue faire ses adieux, elle a pris le chien avec elle. Jeanne est inconsolable.

211

Et puis c'est le départ à cinq heures du matin, les légionnaires au regard noir, la longue file de camions et de blindés qui s'étire sur la route, d'autres familles hagardes, d'autres enfants à moitié endormis, une seule et même stupeur douloureuse, bouleversante, à constater que l'inimaginable advient. Lorsque nous arrivons à La Sénia, il fait grand jour, le soleil cogne, le vent soulève des tourbillons de poussière entre les hangars. Une foule énorme est parquée derrière le grillage qui entoure l'aérodrome, les gardes mobiles contrôlent l'entrée, fouillent les arrivants, s'énervent. Il n'y a pas d'avion, il faut prendre un numéro là-bas et attendre qu'on l'appelle. Pas de photos, pas de caméra, c'est interdit, si on vous attrape on arrache les pellicules. Non, pas à l'intérieur, il n'y a plus de place. Pour manger ? Débrouillez-vous, rien n'est prévu, on est submergés. Vous voyez bien que c'est la panique !

Mon père nous laisse assis par terre à l'ombre des buissons ; nous sommes agglutinés à d'autres familles inquiètes au milieu d'un fatras de bagages, on entend des hurlements, des vociférations ; par les trous du grillage, de jeunes Arabes proposent des petits pains, ma mère se lève, ouvre son porte-monnaie – N'en achetez pas, madame, on dit qu'ils sont empoisonnés ! – elle se rassoit ; derrière les vendeurs, un adulte en djellaba nous observe en souriant ; chaque fois qu'il capte un regard, il montre de quelle façon il va nous égorger.

Mon père revient. Il a récupéré un numéro, mais comme l'attente risque d'être longue, il nous emmène à un autre endroit, du côté de l'hippodrome, dans une écurie où nous nous installons tous les cinq sur la paille. De temps à autre, une Caravelle atterrit et enfièvre le camp. Les gens crient, se ruent sur le tarmac, les gardes mobiles interviennent, repoussent la foule, la canalisent derrière les barrières ; puis un haut-parleur se met à cracher des numéros : ceux qui ont gagné à cette horrible loterie s'affolent, courent vers la piste, traînent enfants et vieillards dans leur fuite ; quand l'avion repart, il y a des valises ouvertes sur le sol, des baluchons, des poussettes, des cages de canaris abandonnés.

Trois jours et trois nuits de cette horreur recommencée.

Et puis c'est notre tour. Nous marchons jusqu'à la passerelle, et tandis que nos valises disparaissent dans la soute, mon père nous serre longuement entre ses bras. Il pleure à chaudes larmes, bafouille des mots d'amour. Encore une chose que je n'avais pas comprise, mais celle-là est plus abominable que toutes les autres : il ne vient pas avec nous ! Son travail à l'hôpital, des choses à faire pour essayer de sauver les meubles, il nous rejoint très vite, promis, juré... Il faut que je sois fort.

—C'est toi, dorénavant, l'homme de la maison. Je te confie ta mère et tes sœurs, veille sur elles. Fais honneur à ta famille, fais honneur à notre nom !

Un dernier signe de la main, et je me suis retourné pour entrer dans l'avion.

Les mots seuls ne parviennent pas à dire les choses, mais il y a des combinaisons possibles, je le sais, qui permettent au moins d'en effleurer le cœur. Comment trouver la bonne pour dire cette pleine conscience, alors, d'avoir vieilli d'un coup, d'être devenu – à huit ans et à jamais – ce que je suis ?

Rentrez chez vous, sales pieds-noirs!

212

Sidi-Bel-Abbès : il s'est dit, le bel abcès… Voilà, c'est avec cette phrase sur les lèvres que j'ai ouvert les yeux. J'ai dû m'assoupir ou perdre connaissance, parce que le bateau est maintenant à deux ou trois cents mètres de moi, tout petit, étrangement solitaire sur l'horizon.

Je me suis mis aussitôt à nager vers lui. Pas moi, mon corps dissocié.

Le courant qui t'a fait dériver n'est pas très fort, murmure Heidegger, c'est faisable. Vas-y à ton rythme, sans te presser…

213

J'obéis, mais à quoi bon ? Je me sens bizarre, un peu comme un robot qui aurait mangé du piment… C'est mon plus jeune fils qui a prononcé cette sentence énigmatique, un jour qu'il traînait la patte pour aller à l'école ; je saisis mieux, je crois, l'espèce d'indolence, d'extériorité à soi-même et au monde, dont il tentait de rendre compte.

Je nage, mais en vérité je coule, je m'enfonce ; ce n'est pas une question de flottabilité défaillante, juste la sensation d'être le rescapé provisoire d'un cataclysme qui me dépasse, d'être tiré vers le bas par des semelles de plomb.

Un météore est passé qui a emporté avec lui cette partie de l'Algérie où je me trouvais. Retour à Jules Verne : comment ne pas faire le rapprochement avec *Hector Servadac* et l'île Gourbi, ce petit bout d'Oranie entraîné à travers l'espace intersidéral par la comète Gallia ? Dans *L'Arche de M. Servadac*, le film tiré du roman par Karel Zeman, il y a même une scène troublante où l'équipage d'un navire se livre à un extravagant concert de casseroles pour éloigner le monstre marin qui ondule dangereusement à son côté.

Projet : Faire une étude des gestes pathétiques ! De ces moments où l'acte dérisoire d'un seul acquiert assez d'intensité pour devenir l'emblème d'une communauté entière, pour s'incorporer à la chair vive de sa culture.

214

Qu'aurait fait mon père dans une pareille situation ? Nul doute qu'il aurait nagé vers le bateau sans se poser de question, qu'il se serait débrouillé pour remonter à bord. Il aurait chassé tout état d'âme, se serait concentré sur l'essentiel : continuer à vivre. C'est pour cette seule raison que je nage vaille que vaille vers le bateau ; par défi puéril, parce que ce serait déchoir d'abdiquer là où je suis sûr qu'il ne l'aurait pas fait.

215

Je me souviens d'avoir failli. Gravement. Tandis que nous cahotions dans les nuages à l'approche de Marseille, ma mère m'avait confié une tâche vitale : elle se chargerait de la valise et du bébé, mais je devais garder avec moi la boîte de sucre en morceaux et la bouteille d'eau qui étaient la seule nourriture de ma petite sœur depuis trois jours. À l'arrivée, alors que nous errions dans l'aéroport en l'attente d'une prise en charge, Julie s'était mise à hurler. Mouille un sucre avec de l'eau, mon chéri, vite… Mais il n'y avait plus rien pour la calmer parce que son imbécile de frère – on ne s'en rendit compte qu'à cet instant – avait oublié dans l'avion son précieux fardeau.

Je ne connais que trop cette bouffée de chaleur qui m'enflamme les joues. J'arrête de nager. Un ruissellement d'images me tient ballant, face tournée vers le ciel brouillé.

216

Nous nous étions retrouvés à Palavas, chez une de mes tantes maternelles dont le mari, capitaine dans la Légion, avait soutenu le putsch et venait d'être muté à Montpellier. Comme ils avaient eux-mêmes cinq enfants, nous dormions à huit dans une chambre aménagée en dortoir avec des lits gigognes métalliques et de rêches couvertures de l'armée. Dès le premier jour, au moment du dîner, ma mère et sa sœur nous avaient claironné leur décision de ne plus se conformer au train-train habituel : pourquoi se contenter d'un seul goûter, alors qu'on pouvait en faire deux dans la journée ? Allez, avait dit ma mère, feignant de céder à un coup de folie, il n'y a aucune raison de s'en priver, vive la révolution ! Que les autres continuent à manger du steak de cheval et des épinards si ça leur chante, nous c'est ter-mi-né ! Sortez les bols, les enfants, à partir d'aujourd'hui ce sera tous les soirs lait chaud pour tout le monde et tartines beurrées ! Youpiiiii !

Sa voix sonnait faux – et j'avais rechigné à cette initiation perfide au goût cireux de la margarine – ce qui explique sans doute comment j'ai pu envisager ensuite de mettre ma petite sœur sur le trottoir pour gagner un peu d'argent. Ne lâchez pas, je vous en dirai bientôt plus long sur ce sujet.

217

Trois semaines s'écoulèrent, et Manuel fit savoir qu'il arriverait à Marseille, sur le *Ville d'Oran*, sans papiers et sans un sou en poche. Flavie possédait un permis en règle, mais n'avait plus conduit depuis son examen, quinze ans auparavant ; mon oncle étant indisponible, elle lui emprunta son Ami 6 et fit le trajet Palavas-Marseille à trente à l'heure, sans se soucier des embouteillages qu'elle provoquait tout au long du chemin, ni des insultes de ceux qui réussissaient à la doubler. Lorsque mon père débarqua du *Ville d'Oran*, elle était là, au plus près de la passerelle, pour l'accueillir et le prendre dans ses bras.

— Et alors ?

— Et voilà…

Dans le « alors », il y avait toute l'expectative, tout l'espoir que peuvent mettre les hommes dans leur avenir. Et dans « voilà », le résultat, le piètre récépissé de la malchance, de l'échec, de la scoumoune. Cela devait être autrement, cela aurait dû à coup sûr être autrement, et pourtant c'est ainsi que ça se termine, par la souffrance, l'incompréhension, les rêves éventrés.

218

Je n'ai aucun souvenir de cet exploit amoureux : pendant que ma mère s'échinait à rejoindre son mari, je découpais ses robes aux ciseaux dans la penderie pour en faire des lanières et des ornements destinés à notre camp de Comanches, au milieu des marais. Nous l'avions dissimulé mes cousins et moi dans une clairière de roseaux, près d'un marécage puant où surnageaient des arbres morts et un sommier. Sur la grève, de grosses bulles sulfureuses crevaient à la surface d'un limon noir, comme si l'imprudent pied-tendre qu'il venait d'engloutir y exhalait son dernier souffle d'épouvante.

Nous coupions des roseaux pour les amonceler sur une voie ferrée longeant la limite de notre territoire. Un tortillard y circulait de temps à autre que nous voulions voir dérailler. La constance avec laquelle ce cheval de fer s'obstinait à broyer nos barricades nous poussait à les renforcer toujours plus sur son passage, si bien qu'un jour, peu de temps avant le retour de mon père, la machine patina suffisamment pour obliger le conducteur à stopper son train et à descendre dégager la voie. Nous tenions notre victoire contre les visages pâles !

Le lendemain, un agent de la SNCF se présenta chez nous. Il raconta que des garnements s'évertuaient à empiler des obstacles sur la voie de l'autorail, que c'était un jeu très dangereux et qu'il fallait y mettre fin, sous peine de poursuites, mais surtout pour éviter un accident. Éberluées, ma mère et ma tante l'écoutèrent jusqu'au bout avant de s'offusquer sèchement d'une pareille accusation. Non, monsieur, leurs enfants étaient bien éduqués, jamais ils ne feraient des choses aussi stupides ! Et montrant le bébé, ma petite sœur et mes deux jeunes cousines, angéliques dans leur robe d'été : Honnêtement, dites-nous, vous les voyez faire dérailler un train ? S'il voulait des coupables, il fallait les chercher ailleurs, pas chez elles !

L'agent avait fini par leur présenter des excuses et s'était éclipsé, la queue basse, à demi convaincu par cette plaidoirie. À notre retour du campement, nos mères ne nous avaient fait aucun reproche, se bornant à relater par le détail leur conversation, et comment elles avaient mis dehors ce pauvre homme, mais elles nous regardaient d'une telle manière que nous avions décrété ensuite une paix définitive avec la compagnie du chemin de fer.

219

Manuel était arrivé amaigri et dépité ; à force de batailler, il avait réussi malgré tout à faire partir un cadre de déménagement avec quelques-uns de nos meubles et de nos affaires. Ma mère et lui parlaient du « cadre », sans préciser la suite, et nul ne comprenait pourquoi il avait fallu tant d'efforts pour sauver un seul tableau.

Aussitôt arrivé, mon père se mit en quête d'un poste de chirurgien. Premier sur la liste de reclassement des médecins rapatriés, il avait bon espoir de retrouver du travail, mais répondait systématiquement à toutes les offres proposées dans les journaux spécialisés. Les semaines suivantes, il se rendit à Aurillac, à Lodève, à Villerupt, à Strasbourg, mais à chacune de ses entrevues, le directeur de l'hôpital concerné se chargea de lui faire comprendre qu'il n'était pas le bienvenu et qu'il n'y aurait jamais de place pour un pied-noir dans son service. Manuel se mit alors à prospecter directement les hôpitaux, les cliniques et jusqu'aux instances municipales.

Le maire de Toulon ayant accepté de le recevoir, mon père vit là une bonne opportunité de nous montrer par où son bataillon était passé lors du débarquement. Nous partîmes donc en famille, avec l'Ami 6 de mon oncle, en prenant les petites routes de campagne. Dès la traversée des premiers villages de Provence, nous fûmes surpris de l'animosité des gens à notre égard, ils nous invectivaient, tapaient du plat de la main sur les portières, tentaient aux feux rouges de les ouvrir. Rentrez chez vous, sales pieds-noirs ! aboya l'un d'entre eux en nous faisant un bras d'honneur. À force de s'interroger sur ce mystère – mais comment font-ils, ce n'est pourtant pas inscrit sur notre front ? – mon père réalisa que la voiture avait encore ses plaques d'immatriculation d'Algérie : c'était à cette seule marque d'opprobre qu'on nous identifiait, qu'on s'empressait de nous haïr ! Mon père ne décolérait pas : des gens pour lesquels il avait risqué sa vie, pour qui des milliers de pieds-noirs avaient sacrifié la leur ! Ce fut la même chose dans le village suivant, mais cette fois, en plus des insultes, les caillasses fusèrent. Une lapidation en règle, comme si les habitants s'étaient donné le mot. Un pavé explosa le pare-brise arrière de la voiture, nous pleurions mes sœurs et moi au milieu des éclats de verre, ma mère hurlait.

Vingt kilomètres plus loin, c'est toute une compagnie de CRS, mitraillette au poing, qui nous fit sortir du véhicule et interrogea mon père agressivement pendant plus d'une heure.

Nous n'arrivâmes jamais à Toulon : dès que ce fut possible, Manuel fit demi-tour, emprunta la nationale et revint au plus vite à Palavas.

Durant tout le trajet, une seule image tourna devant mes yeux, se recomposant à l'infini en mille et une facettes acérées, celle des grenades et du revolver aperçus naguère dans la DS.

220

Entre deux rendez-vous stériles, et dans l'espoir d'améliorer une situation financière catastrophique, mon père jouait aux courses. Un seul tiercé par semaine, obtenu de haute lutte auprès de sa femme, mais qu'il préparait longuement tous les dimanches matin. Fort de son expérience du bridge et du poker, il avait élaboré une sorte de martingale combinant le calcul des probabilités avec la réduction théosophique des nombres attribuée à Pythagore. *Paris-Turf* étalé sur la table, il alignait des chiffres dans un cahier d'écolier en murmurant ses additions à jet continu : « Saucisse, saucisse, saucisse, saucisse », c'est ce que j'entendais, troublé par ce désir incoercible et alarmant de charcuterie. Il gagnait avec régularité de petites sommes, de quoi rembourser sa mise, ou à peine plus, mais à chaque fois le tiercé gagnant était écrit sur son cahier, parmi la vingtaine de ceux qu'il avait dû éliminer. Il nous le montrait, après coup, fier de son système, tout en regrettant la limite de jeu qu'il s'imposait : Il a fait trois millions, vous vous rendez compte ? Et je l'avais dans l'ordre ! Flavie lui faisait les gros yeux, mais il la rassurait aussitôt en fronçant les lèvres : il n'augmenterait pas ses mises pour autant, c'était acquis. Le fait est qu'il ne manqua pas une seule fois à cette promesse.

221

Il advint un jour qu'il joua un tiercé gagnant. Trois favoris, hélas, qui ne paieraient pas grand-chose. Le lundi matin, avant même de connaître les rapports, il envoya ma mère encaisser l'argent au PMU – mon père ne s'y rendait jamais, par souci de ne pas se montrer dans les cafés. On devrait te donner environ trente francs, lui avait-il dit, c'est toujours mieux que rien.

Lorsque Flavie présenta son ticket, le caissier la félicita et se mit à lui compter ses billets : dix francs, vingt francs, trente francs, quarante, cinquante… il ne s'arrêtait plus, et à la fin il y avait une énorme liasse sur le comptoir ! Ma mère s'empourpra, persuadée que le caissier s'était trompé ; pas une seconde elle ne songea que mon père avait sous-estimé sa prévision de gain. Ses enfants à nourrir, un mari sans travail : elle assuma son geste, fourra le paquet de billets au fond d'un sac et se sauva, courant à perdre haleine dans les rues de Palavas, multipliant les détours, les feintes, les crochets, jusqu'à ne plus savoir où elle se trouvait. Elle n'était revenue à la maison avec son butin qu'après trois heures de cette fuite imaginaire ; décomposée, méconnaissable, mais folle de joie au point de faire pleuvoir d'un seul coup une pluie de billets sur la tête de son mari.

222

Le lendemain, ignorant tout de cette histoire, j'étais allé traîner avec ma sœur Jeanne du côté des marais. Nous avions récolté une brassée violette de fleurs sauvages, si belles, si fraîches que j'eus l'idée de les vendre pour apporter un peu de réconfort à nos parents. Revenus dans le centre de Palavas, j'installai ma sœur, jambes croisées à même l'asphalte du trottoir, deux ou trois bouquets disposés devant elle, et assis en retrait sur les marches d'un pas de porte, m'occupai à en fabriquer d'autres.

Une petite fille à tresses blondes avec de grands

yeux bleus derrière les loupes de ses lunettes ; un jeune garçon à la mine grave, genoux écorchés, dont les espadrilles noires de vase sentaient l'égout : les passants souriaient tristement en nous voyant. Plusieurs d'entre eux laissèrent une piécette dans la main de Jeanne sans emporter de bouquet. Les affaires marchaient mieux que prévu, à ce compte-là, nous allions vite nous enrichir !

Je spéculais encore sur ma bonne fortune, lorsqu'une Ami 6 a freiné nerveusement à ma hauteur ; mon père en est descendu, hors de lui, l'écume aux lèvres. Il a pris notre petite monnaie, l'a jetée avec violence sur le trottoir, s'est retenu de nous gifler. Il a croché dans nos maillots de corps et, devant les gens médusés qui observaient la scène, nous a traînés sans ménagement dans une épicerie fine, de l'autre côté de la rue. Jambon fumé entier, saumon d'Écosse, foie gras, chocolats fins, macarons, truffes du Périgord, plateau de fromages, champagne ! Il dépensa en une fois tous ses gains du jour précédent – une somme qui aurait pu nous faire subsister pendant des mois – pour qu'il fût bien clair dans l'esprit de tous que lui, Manuel Cortès, n'avait nul besoin de mettre ses enfants à mendier sur les routes pour gagner sa vie.

223

C'était bien le seul problème, pourtant. La charge de notre famille devenait trop lourde pour ma tante et son mari, la rentrée des classes approchait… En désespoir de cause, mon père s'accommoda d'un poste de médecin-conseil à Épinal.

Des huit mois où nous avons vécu dans cette ville, je n'ai que peu de souvenirs, et ils sont misérables. Je ne revois aucun paysage, ni l'endroit où nous habitions, ni même la moindre scène de vie courante avec mes sœurs ou mes parents. C'est une fissure d'un blanc sale dans ma mémoire, celle de l'interminable hiver 1962, avec son froid de gueux, ses tourmentes de neige, son opiniâtreté maligne à faire date, coûte que coûte, dans le siècle ; et du jour de décembre où mes camarades d'école me rouèrent de coups sur la Moselle gelée : j'étais pied-noir, j'avais deux ans de moins que le plus jeune d'entre eux, et je venais de devenir premier de la classe – trois excellentes raisons, j'eus nombre d'occasions de m'en apercevoir par la suite, pour se faire casser la gueule.

Cette fissure, j'en suis aujourd'hui persuadé, n'est qu'un lointain reflet du mal-être qui avait tourmenté mon père : enfermé dans les bureaux d'une obscure mutuelle d'assurances vosgienne, le docteur Cortès vérifiait sur dossier le bien-fondé de décisions médicales prises par d'autres ; il ne pratiquait plus, ne voyait personne, ou des confrères qui affectaient de ne lui adresser la parole qu'en patois lorrain. Après ce qu'il avait enduré à Cornimont, à Mulhouse ! C'était d'une injustice à perdre la raison.

Ma mère s'échinait à le rassurer : sa nomination

officielle ne pouvait pas être repoussée éternellement, il retrouverait bientôt un poste de chirurgien, et on se hâterait d'oublier ces mauvais moments. Peine perdue : malgré ses efforts, Manuel se mit pour de bon à déprimer. Il devint morose, irritable, neurasthénique, tous symptômes d'une déréliction qui se communiqua autour de lui par capillarité. Ma mère fit face du mieux qu'elle put, jusqu'au jour où elle trouva le brouillon d'une lettre de suicide mal froissée dans sa corbeille à papiers.

Elle ne m'avait avoué la chose que des années plus tard, pour m'engager à plus d'indulgence envers un père à qui je menais la vie beaucoup trop dure, disait-elle, eu égard aux sacrifices qu'il avait consentis pour moi.

Nous avions tous rayé cette période de notre mémoire, bien plus profondément que ne l'avait prédit ma mère.

224

En mai 1963, quelques jours après ce point culminant de désarroi familial, Manuel reçut enfin sa nomination officielle dans un hôpital d'Aix-en-Provence. Il s'empressa de donner sa démission de médecin-conseil, et nous émigrâmes tous à Brignoles, faute de trouver à se loger plus près de son lieu de travail.

À Aix, ce fut hélas la même rengaine liée à son

statut de pied-noir : libre à lui d'opérer dans le public, mais on ne le laisserait jamais pratiquer en libéral, seul moyen pourtant de compléter son salaire et de parvenir à une rémunération décente.

C'est Joseph Beraguas, son ami établi à Brignoles, qui lui avait conseillé de le rejoindre dans cette ville. Par ses activités au Lions Club, Joseph entretenait de bonnes relations avec un chirurgien qui possédait une clinique dans un bourg avoisinant, et ne faisait pas mystère de ses opinions favorables à l'Algérie française. Les présentations furent faites, et ce docteur – que nous appellerons Maroilles, par charité – proposa à mon père un poste à temps plein dans son service, sous réserve d'un mois d'essai.

Manuel laissa tomber Aix-en-Provence et se consacra tout entier à cette clinique providentielle. Avant même la fin du mois, à l'issue d'une délicate intervention où ils avaient opéré ensemble, Maroilles lui fit savoir qu'il était enchanté de son travail – les patients ne tarissaient pas d'éloges sur ses qualités, le bouche-à-oreille allait bon train ! – bref, il l'engageait fermement, se réjouissant d'une collaboration qu'il présageait longue et fructueuse.

—Venez manger un morceau à la maison samedi soir, avec votre épouse, bien sûr ; je vais organiser un petit raout pour fêter ça.

La réunion eut lieu dans une grande villa provençale avec piscine et court de tennis. Maroilles avait bien fait les choses, le gratin des notables de la région était présent. On félicita le nouveau venu, on le choya, et lorsque Manuel admit son très bon classement au bridge, on l'adopta. Il fallait qu'il participe au prochain tournoi dans leur équipe, le tennis restait à sa disposition pour lui et ses enfants, ce serait un honneur de l'accueillir au Rotary ou au Lions Club, quel plaisir, vraiment, de rencontrer un jeune chirurgien aussi brillant ! Une évaporée n'avait cessé de lui faire du gringue tout au long de la soirée : ma mère s'était tellement tordu le cou pour surveiller son mari qu'en montant dans la voiture elle souffrait d'un torticolis qui l'empêchait de redresser la tête.

— Méfie-toi de ces gens-là, s'était-elle contentée de dire à Manuel, le visage bizarrement incliné vers lui. Je ne les aime pas.

Mais comme l'a sans doute proféré un jour quelque vieux sage bantou, il est long le chemin entre la voix de la femme et l'oreille de l'homme : mon père mit sa réaction sur le compte de la jalousie et de son embarras dans ce genre de société. La chance avait tourné, il le sentait. Une nouvelle vie s'ouvrait à eux.

225

Il lui fallut plusieurs semaines pour s'apercevoir de certains détails qui ne cadraient pas avec l'idée qu'il s'était faite de Maroilles. Ce praticien, excellent au demeurant, signait des ordonnances dans la rue, comme ça, au hasard d'une rencontre ; il suffisait de l'aborder avec la somme nécessaire pour le payer comptant. Manuel avait refusé de croire l'infirmière qui s'était hasardée à lui raconter la chose. Quelques jours plus tard, cependant, il put mesurer lui-même son âpreté au gain en l'observant harceler un laboratoire pharmaceutique par téléphone : Maroilles insistait sans honte pour qu'on lui fasse parvenir d'urgence une douzaine de cravates en soie, et devant la résistance de son interlocuteur, menaçait de boycotter leur produit phare, le Soludécadron. Il piqua une véritable crise de rage lorsqu'il finit par recevoir un lot de cravates sur lesquelles les commerciaux de chez Merck & Co s'étaient fait un malin plaisir d'imprimer en grosses lettres la marque de leur médicament.

Maroilles n'en sortait pas grandi, certes, mais il n'y avait pas de quoi fouetter un chat. Ce ne fut pas la même musique, en revanche, lorsque mon père commença à douter de son intégrité en matière chirurgicale.

Manuel venait d'ouvrir un patient, sur une suspicion d'ulcère stomacal qui s'avérait sans fondement ; il s'apprêtait à refermer, quand Maroilles était entré dans le bloc.

— Allez vous reposer, Cortès, je vais finir le travail.

Après plusieurs heures d'opération, Manuel lui avait su gré de ce service. Ce fut un choc, le lendemain, lorsqu'il consulta le dossier de son patient : Maroilles lui avait enlevé l'estomac ! Interrogé par

Manuel, ce dernier ne se démonta pas :

— J'ai trouvé une vilaine adhérence dans les plis, au niveau de la petite courbure. La gastrectomie s'imposait. Vous étiez fatigué, mon vieux, ce n'est pas grave, ça arrive.

Même sûr de son examen comme il l'était, Manuel aurait pu convenir d'une erreur, toujours possible dans ce métier, mais à considérer d'autres interventions de Maroilles à la lumière de cette expérience, les exemples foisonnaient. Au mépris de toute déontologie, le bonhomme faisait du chiffre, multipliant les actes inutiles à seule fin de faire prospérer sa boutique. Qu'une bossue passe entre ses mains à l'occasion d'une césarienne, il en profitait pour lui ligaturer les trompes à son insu. S'insurgeait-elle en l'apprenant, il lui répondait qu'il n'avait agi que dans son intérêt : une nouvelle grossesse lui aurait coûté la vie. C'était un fait, néanmoins : nul ne sortait de sa clinique sans y avoir laissé au minimum son appendice.

Ces pratiques hautement condamnables, mais impossibles à démontrer, tourmentaient mon père. Moins, toutefois, que l'inertie de Maroilles à officialiser sa nomination. Ils se voyaient tous les jours à la clinique, jouaient ensemble au bridge ou au tennis – depuis son torticolis, ma mère trouvait toujours un prétexte pour rester à la maison – sans qu'il soit jamais question du contrat promis.

Après trois mois d'exercice et de silence poli sur

le sujet, Manuel insista jusqu'à ce que le patron de la clinique le convie enfin dans son bureau pour signer les papiers.

À peine eut-il commencé à lire qu'une clause du contrat le fit bondir de son fauteuil : il y était écrit noir sur blanc que le signataire s'engageait à prendre une participation de quarante-cinq pour cent dans le capital de la clinique !

— Mais je n'ai pas cette somme, s'était écrié Manuel, vous savez bien dans quelles conditions je suis arrivé ici !

— Jouons franc-jeu, Cortès, je vous apprécie beaucoup, mais vous ne me ferez pas croire que vous êtes rentré d'Algérie sans une petite cagnotte. Il y avait bien quelques pesètes dans vos valises, non ? Dites-moi combien, on peut s'entendre sur le pourcentage, si cela vous arrange.

— Je n'ai pas un sou de côté, avait répété Manuel d'une voix blanche.

— Alors, c'est fort dommage, mais vous ne pourrez pas continuer à opérer dans mon service. J'espère que vous comprenez...

Manuel comprit si bien qu'il s'empara d'un bistouri qui traînait sur la table et fixa Maroilles avec une force de conviction suffisante, semble-t-il, pour que ce dernier détale hors de la pièce sans demander son reste.

226

Mon père s'était acheté à crédit une nouvelle DS, il avait fallu meubler la grande maison qu'il louait au square Saint-Louis, s'habiller décemment, payer divers impôts : il leur restait à peine cent francs pour finir le mois. Il roula des heures sur les petites routes de campagne et ne rentra chez lui que tard dans la nuit. Flavie était morte d'inquiétude. Informée de leur situation, elle fondit en larmes.

— Tu as eu raison de partir, mon amour, mais qu'est-ce qu'on va faire, maintenant, dis-moi ? Jouer au tiercé ? au loto ?

— Ne t'inquiète pas, j'ai eu le temps de réfléchir. J'abandonne. On ne peut pas continuer ainsi…

— Tu abandonnes quoi ?

— Ça te plairait de travailler avec moi comme infirmière ?

Ma mère essaya en vain de le dissuader, sa décision était irrévocable. Dès le lendemain, il emprunta à Joseph Beraguas une somme suffisante pour faire rafraîchir au plus vite trois des quatre pièces du rez-de-chaussée, et les transformer en bureau de réception, salle d'examen et salle d'attente. Lorsque tout fut prêt, il fit graver à son nom une plaque de médecin généraliste et publia dans le journal un encart annonçant l'ouverture de son cabinet.

Il faut les imaginer tous deux en ce matin de septembre 1963, vaisseaux brûlés, assis en blouse blanche, main dans la main, sur les chaises paillées d'une salle d'attente ouverte sur le jardin, anxieux, déboussolés, mais prêts à se ruer sur le pont au premier coup de sonnette.

227

Mon père ne pratiqua plus la chirurgie de toute son existence.

Ce n'est qu'en y songeant maintenant, comme si je devais l'écrire un jour, que je prends la véritable mesure de son renoncement, de l'héroïsme qu'il impliquait.

Heidegger se frotte les mains : je viens de recommencer à nager vers le bateau. En fait, mon corps n'a cessé de se mouvoir durant cette longue plage de rêve lucide. Je suis à mi-chemin du *Gabian*, puisque j'arrive à déchiffrer le numéro des affaires maritimes, inscrit en grandes lettres noires sur la courbure de la proue : TL 60 44 63. Saucisse, saucisse, saucisse… Six et quatre, dix ; et quatre, quatorze ; et six, vingt ; plus trois, égale vingt-trois ; deux et trois, cinq. Il faut jouer le cinq gagnant, dirait mon père.

228

Neuf ans ont passé.

Ils sont venus en avance pour goûter la paella valencienne du Bijou Bar de Flassans. Le poêle à charbon, un vieux Godin cylindrique en émail bleu et noir, ronfle derrière eux ; de leur place, ils aperçoivent la dentelle de givre grignotant les vitres de la devanture. Imprimées en lettres noires sur fond rose et placardées un peu partout, de tristes affichettes répètent le programme de la soirée :

> 25 décembre 1972. Grand loto de Noël organisé par l'A.S. flassanaise. Vingt quines, dix-huit cartons pleins. Un fusil de chasse Springfield à deux canons, une mobylette Peugeot, un sanglier vivant, le poids du gagnant en rosé de Provence, ainsi qu'une multitude d'autres lots ! Le carton est à 10 francs, venez nombreux !

Un gringalet au teint olivâtre, lèvre barrée d'une ridicule moustache en croc, s'approche d'eux :

— Alors, messieurs-dames, cette paella ?

— Excellente, vraiment délicieuse, et je suis connaisseur ! répond Manuel.

— C'est ma belle-mère qui est aux fourneaux, elle est de « là-bas », vous savez, alors ça se comprend... Il y a des Belges qui font le voyage exprès jusqu'ici : ils préviennent le matin par téléphone, et le soir il leur faut une table de dix couverts !

Il s'éloigne, satisfait, derrière son comptoir et se remet à essuyer mécaniquement une escouade de verres déjà secs.

— Tu as un sacré culot ! chuchote ma mère.

— Tu ne voulais tout de même pas que je lui dise qu'elle était infecte, sa paella ? Ça lui fait plaisir, et moi je m'en fiche. Personne ne la cuisine mieux que toi, ma chérie !

— Menteur, va !

229

Flavie était resplendissante, de cette beauté qui transforme le corps plutôt qu'elle n'en résulte. Un chignon lâche de cheveux blonds, retenus assez bas sur la nuque, des yeux en amande avec ce bleu regard de myope, cette trouée de ciel où se lisait d'emblée sa franchise désarmante et comme le filigrane de son élégance. Il y avait aussi ma sœur Julie, onze ans, Chardin boudeur devant une nature morte aux langoustines. Jeanne avait préféré passer la nuit chez une copine.

L'aubergiste revint :

— Vous avez fini ? Excusez-moi, mais ça ne va pas tarder à démarrer, il faut que les tables soient débarrassées pour le loto... Et la nine, elle mange pas ses langoustines ?

— Non, dit ma mère, elle n'a plus faim. Mon mari lui a fait peur avec les pinces, tout à l'heure, je crois qu'elle n'est pas très rassurée.

— La vérité, fit mon père, c'est qu'elle a mangé une tablette de chocolat avant de venir, alors évidemment...

— Ah, les gosses, ils sont bien tous pareils ! Et menaçant Julie du doigt : Il faut faire attention avec le sucre, tu finiras par perdre toutes tes dents, comme moi, tiens !

Lèvres retroussées, il lui montra une superbe dentition plaquée or qu'il fit claquer avec un bruit de bec.

— Berk ! fit ma mère, dès qu'il eut tourné le dos. Il y a de quoi faire des cauchemars !

— Moi, j'aime bien ça, dit Julie de sa voix fluette. C'est joli, on dirait qu'il a mis des bagues à toutes ses dents.

— D'accord avec toi, plaisanta mon père, je vais faire arracher les miennes et les remplacer par une prothèse, ce sera beaucoup plus pratique !

— Si tu fais ça, dit ma mère, on se sauve, n'est-ce pas Julie ?

— Même pas un dentier en ivoire de morse avec des incrustations d'argent ?

— Non ! firent-elles en riant.

Un haut-parleur hurla dans la salle :

— Un, deux, trois ! Un, deux ! Ici le bar Le Mistral, allô Maxime, tu m'entends ?

— Eh oui, je t'entends, cria l'aubergiste en regardant son micro. Ne gueule pas comme ça !

— Ça va commencer ! reprit le haut-parleur. On fait les réglages, un, deux, trois, un, deux ! Allô, ici Albert du bar Le Mistral, j'appelle le bar Chez Nous ! Nénesse, tu m'entends ?

— Oh, Ber ! reprit une voix différente, arrête de gueuler, on te dit ! Tu vas faire péter les vitres, bon Dieu !

— Roger, ils disent que c'est trop fort, hurla de nouveau Albert, baisse un peu ! *Grésillements.* Je continue, ici Albert, j'appelle le bar Le Cormoran, est-ce que tu m'entends, Pètou ? *Grésillements.* Oh, Pètou ? Mais qu'est-ce que tu as dans le crâne, appuie sur le bouton ! *Grésillements.* J'y crois pas, putain ! Le bouton, le rouge, là devant toi !

— Celui-là ? fit Pètou dans le haut-parleur.

— Oui, celui-là... Est-ce que tu m'entends bien ?

— Super ! Ça semble que tu es dans le bar !

— Bon, à tous : vous pouvez distribuer les cartons, on va commencer. Je répète, on va commencer ! Fin de l'émission.

Le bar regorgeait de monde. Rassemblées par les soins de l'aubergiste, les tables étaient maintenant occupées par des familles d'agriculteurs, de mineurs de bauxite avec vieillards et enfants, de jeunes villageois déjà éméchés s'interpellant, riant à gorge déployée ; tous piaillaient et buvaient dans une ambiance de fête foraine. Un brouillard de fumée de cigarette avait envahi la salle, les gens commençaient à se dévêtir, enlevant qui leur veste, qui leur chandail avec de grands gestes maladroits. Coincés en bout de table, nous participons à ce tumulte bon enfant ; mon père, en bras de chemise, sirote un Cinzano en badinant avec ma mère, taquine ma sœur, prend part aux discussions de ses proches voisins comme à un repas de noces. Il est aimé, respecté, pas un seul de ses patients ne manque de venir le saluer :

— Alors, toubib, on vient jouer au loto ?

— Bonsoir docteur, bonsoir madame, oh, mais c'est qu'elle se fait grande la pitchoune ! Julie, c'est ça ? Ce qu'elle est mignonne !

— Vé, y a le docteur qui est venu chasser le sanglier ! C'est pas de chance, parce que le sanglier, ce soir, c'est moi qui le ramène : même que j'ai dit à ma femme de préparer la marinade pour la daube !

Et mon père répond, plaisante avec chacun, donnant son avis sur le bobo d'une jambe de garçonnet allongée sans façon sur ses genoux, examinant une langue pâteuse avec le manche d'une cuiller, ou dardant un regard d'hypnotiseur dans le blanc d'œil couleur de hareng saur d'une vieille dame.

Julie était au comble de l'excitation.

231

Maxime fit le tour de la tablée pour vendre les cartons, certifiant à tous qu'il n'y avait que des gagnants dans la grosse liasse qu'il présentait. Mon père en acheta six, un pour lui, un pour ma mère, et deux pour chacun de nous. Un jeune homme à la mine réjouie se chargea de la tournée de cailloux, du gravier noir qu'il était allé puiser dehors, dans un monticule disposé par les services de voirie sur le bas-côté de la route.

— Voilà, dit mon père à Julie, c'est tout bête : sur chaque carton, tu as un choix différent de numéros. Un huissier va tirer des nombres au sort, de 1 à 99. Lorsque celui qu'il annonce est sur ton carton, tu poses un caillou sur la case. Le premier qui aligne cinq cailloux sur une même ligne horizontale gagne un lot. Ça s'appelle une quine, et il faut crier fort : Quine ! Pour les gros lots, c'est au premier qui remplit intégralement toutes les cases, et là il faut crier encore plus fort ! C'est compris ? Maintenant, il n'y a plus qu'à attendre…

Après un bref coup d'œil à sa montre, il s'adresse à son voisin :

—Jo, ça ne devait pas commencer à vingt et une heures ?

—Oh, pauvre ! Ça c'est seulement pour qu'on puisse démarrer à vingt-deux... Quelle heure il est ?

—Moins cinq, firent trois voix à l'unisson.

—Alors, ça ne devrait pas tarder... Mais je ne vois pas pourquoi vous vous faites du mouron, je vous l'ai dit : le sanglier, il est pour moi, je l'ai vu dans mon horoscope !

—Moi, je vous le laisse, ce bestiau, dit un homme de l'autre côté de la table. Ce que je veux c'est la mobylette ! Je suis venu à pied, je compte bien repartir avec...

Éclats de rire. Mon père aperçut l'aubergiste qui dérivait dans la cohue ; il lui commanda des boissons et un paquet de Bastos.

—Attention, attention ! fit le haut-parleur. Je demande un peu de silence !

Le brouhaha baissa d'un cran avant de remonter aussitôt.

—Un peu de silence, s'il vous plaît ! reprit le haut-parleur en accentuant chaque syllabe.

On entendit un bruissement de « chut », des voix fortes s'élevèrent pour réprimander les jeunes, et le silence régna tout à coup dans le bar.

—Mesdames et messieurs, l'amicale sportive flassanaise vous remercie d'être venus si nombreux à ce grand loto de Noël organisé au bénéfice de ses œuvres. Maître Cassagnac, huissier de justice, va procéder au tirage. J'annoncerai chaque numéro deux fois. Les responsables présents dans les cafés devront vérifier les cartons gagnants et délivrer un bon signé de leur main pour la remise des lots qui aura lieu à minuit, dans l'annexe du bar Le Mistral. L'A.S. flassanaise vous remercie encore et espère que vous passerez tous une bonne soirée !

Grésillements.

— Première quine : un jambon fumé offert par la boucherie Merlou de Carcès. *Grésillements.* Le dize-sept, je répète, le dize-sept !

Bruit mat de quelques graviers posés sur les cartons.

— Le soixante-dize-huit, le soixante-dize-huit !

Julie se trémoussa sur sa chaise en tirant ma mère par la manche ; celle-ci posa délicatement un caillou noir à la place indiquée.

— Le vinte-neuf, je répète, le vinte-neuf...

Immobilité de fidèles à l'écoute d'un sermon, vagues regards fixés sur les cartons dans l'attente du prochain numéro. Après la huitième annonce, il y eut une recrudescence de fumée. Un vieillard se leva et fit trois fois le tour de sa chaise – pour attirer la chance, dit-il, content de lui. Une femme corpulente, qui alignait déjà trois numéros sur cinq, s'éventait de la main.

— Boudi ! fit-elle, haletante d'émotion, je commence à avoir les vapeurs !

Et elle émit un long soupir qui tenait à la fois du

souffle et du sifflet.

— Le trente-cinq, le trente-cinq !

Mon père fit un clin d'œil à Julie en levant le pouce :

— Plus qu'un, si le sept sort maintenant, on repart avec le jambon !

— Le six, trois et trois, le six !

Ma mère adressa un sourire à son mari dont les doigts, pianotant sur la table, trahissaient l'agitation.

— Le quatre-vingt-douze, le quatre-vingt-douze !

Un hurlement fit sursauter toute la salle :

— On a gagné au bar Chez Nous ! brailla le haut-parleur, tandis qu'une rumeur de désappointement explosait dans le café.

— On a gagné au bar Chez Nous, ne démarquez pas, on va vérifier !

— Eh, chez nous, c'est pas chez les autres, putain ! s'écria un homme au visage congestionné, provoquant l'hilarité générale.

— C'est qu'il m'a fait peur, ce corniaud, j'ai cru qu'on lui avait arraché un bras !

— La quine est bonne, reprit le haut-parleur. Nénesse, le nom du gagnant ? *Grésillements.* C'est monsieur Colas (il prononçait « Colasse »), de Mazaugues, qui gagne le jambon !

— Pas Colas, rectifia une voix lointaine, Coblas, B.L.A.S. Colas, le pauvre, il est en train de se faire manger les couilles par les poissons…

Au milieu des rires gras qui fusèrent de tous côtés,

le visage de ma mère se mit à rosir.

— On continue, clama le haut-parleur, un peu de silence s'il vous plaît ! Deuxième quine, sans démarquer : une triplette de boules de pétanque et une caisse de mousseux offerte par les établissements Bréban, de Brignoles. *Grésillements.* Le douze, je répète, le douze !

Un grand nombre de numéros ayant déjà été tirés, les arrêts se multiplièrent ; au fur et à mesure que s'amoindrissait l'importance des lots, le haut-parleur annonça bientôt deux, trois, voire quatre gagnants sur une même quine. Les heureux élus pouvaient alors se partager « la couronne florale offerte par mademoiselle Prévieux, de Flayosc », « la paire de pneus rechapés offerte par le garage Bastide à Tourves », « le presse-purée électrique 110 volts offert par une bienfaitrice du club dont nous tairons le nom » ou procéder entre eux à un nouveau tirage. La plupart du temps, les choses se réglaient à l'amiable, et c'était celui ou celle qui en avait le plus envie qui repartait avec son lot. Les caisses de mousseux ou d'apéritif se vidaient avant même d'avoir été remises, au cours de tournées où mineurs de fond et paysans montraient une générosité de grands seigneurs. Seules les carabines ou les bicyclettes nécessitaient le recours à un tirage au sort dans les règles, bien que les perdants, là encore, acceptassent de bon gré les décisions du hasard.

232

Une fois les cinq premières quines achevées, on joua le sanglier vivant au carton plein. Il y eut un rebondissement inaccoutumé, lorsque Zélie Bourriou, une grand-mère gracieuse comme un santon, faillit s'étouffer de joie en criant qu'elle avait gagné. À la vérification, il s'avéra qu'elle avait confondu deux numéros ; son carton n'étant pas valable, le sanglier fut remis en jeu. La malheureuse en pleura de dépit, mais ceux qui s'en aperçurent vinrent la consoler, jurant, s'ils gagnaient le pauvre animal, de partager avec elle. Zélie refusa, mais elle se mit à rire, les yeux pétillants de reconnaissance.

Dix minutes plus tard, le haut-parleur annonça que monsieur Pélichon, de Cabasse, gagnait le sanglier vivant.

— Pélichon, c'est mon oncle, précisa l'annonceur jovialement. Tu m'invites à bouffer, hein, tonton ?

On fit une pause, tandis que Maxime se démenait pour remplir à nouveau les verres de pastis, de cognac ou de grenadine pour les enfants. Le premier gros lot distribué, toute tension avait disparu ; les gens parlaient à bâtons rompus, rivalisant de drôlerie, d'entrain et de bonne humeur. Le loto reprit son cours, mais il fut impossible de rétablir le silence, et la voix du haut-parleur émergeait à peine de l'étourdissante cacophonie qui régnait dans le café. On n'en suivait pas moins assidûment l'impérieuse litanie des numéros, on marquait ses cartons sans risquer d'oublier une quine, mais cela n'empêchait plus de pouffer de rire, de commenter, de s'invectiver en chicanant sur des riens, d'être ensemble, pour tout dire, réunis par le prétexte du jeu dans une seule et même joie de vivre.

Déchaussé, mon père faisait du pied à ma mère sous la table, s'amusant de la voir rougir, belle et souriante à côté de Julie.

—Seizième quine ! vociféra le haut-parleur. Une cage dorée garnie d'un couple d'in-sé-pa-ra-bles, offerte par monsieur Bartissol, oiseleur à Pignans.

—Ah, non alors ! fit ma mère en balayant d'un geste brusque les graviers de son carton. Pas ça... Je ne veux plus entendre parler de ces maudits oiseaux...

—Pourquoi, ils sont méchants ? demande Julie.

—Bien sûr que non, répond mon père. C'est à cause d'une histoire qui nous est arrivée il y a... Attends un peu, c'était en 1962, ça fera onze ans l'été prochain.

—Déjà ? reprend ma mère. Déjà...

—Bah ! c'est du passé, mort et enterré. Il faut savoir tirer un trait sur le malheur, et c'est ce que nous avons fait. N'est-ce pas, ma chérie ?

Ma mère acquiesce d'un regard empreint de confiance et de quiétude.

—Papa, dis, réclame Julie, raconte les oiseaux, s'il te plaît !

—Tu ferais mieux de demander à maman, elle

raconte mieux que moi.

Sur un regard suppliant de sa fille, Flavie se met à parler, avec sa voix de contralto, claire et bien placée.

— C'était à Bel-Abbès, à l'époque de la guerre. Ton père était sur la liste noire des deux camps : condamné à mort par les fellaghas, parce qu'il soignait les blessés de l'OAS, et par l'OAS parce qu'il soignait également les fellaghas qu'on lui amenait à l'hôpital. Il refusait de les laisser mourir ou de les achever comme c'était alors la consigne.

— C'est quoi les noms que tu dis ?

— L'OAS, les fellaghas ? répond mon père. Le résultat d'un long cancer, plus d'un siècle de cancer français en Algérie…

— Ne fais pas attention, dit ma mère, c'est un vieux grincheux. Je t'explique : tu sais où se trouve l'Algérie ? Bien. Au début du siècle dernier, c'était un pays peuplé de tribus berbères gouvernées par des représentants de l'Empire ottoman, la Turquie actuelle. Je te passe les détails, mais voilà qu'un jour, en 1830, le roi Charles X décide d'envahir leur territoire et de l'annexer à la France. Cela n'a pas été facile, et il y a eu des centaines de milliers de morts, mais le fait est qu'à peine cinq ans plus tard, des Espagnols et des Italiens comme tes arrière-grands-parents sont venus s'y installer pour travailler, nourrir leur famille, et…

233

... Et bien que sa voix se perdît, pareille aux autres dans l'inextricable réseau de bruits qui saturaient la pièce, Flavie créa pour eux seuls une bulle étanche capable d'accueillir les ânonnements de la mémoire. Le plus objectivement possible, elle décrivit les causes de la guerre d'Algérie, brossant un tableau du bonheur et des misères d'une communauté à jamais dispersée. Le haut-parleur braillait, les bouteilles s'entrechoquaient ; dans les volutes de fumée bleue qui montaient vers le plafond, le serveur, bras tendu sous un plateau de petits verres tintinnabulant, zigzaguait entre les tables. Le loto de Flassans battait son plein, mais la famille Cortès était ailleurs.

234

— Plus rien n'a de sens pendant la guerre. Tu venais d'avoir deux mois, nous avions retiré ton frère et ta sœur de l'école à cause des menaces de mort. Tu n'imagines pas à quel point j'étais terrorisée lorsque papa nous laissait seuls à la maison pour se rendre à l'hôpital ! Je le suppliais de ne pas y aller, d'abandonner ses malades, tellement je craignais qu'il se fasse tuer au coin d'une rue, comme cela arrivait tous les jours. Mais tu le connais, une vraie tête de mule !

Mon père l'interrompit, jouant l'offusqué :

— Qu'est-ce qu'il ne faut pas entendre ! De nous deux, je ne crois pas que ce soit moi le plus têtu...

Ma mère lui envoya un baiser du bout des lèvres et enchaîna :

— Nous en étions là, dans ce climat de terreur, lorsqu'un soir ton père est revenu avec un couple d'oiseaux, des inséparables. Il les avait recueillis chez un ami à lui qui venait de se faire assassiner. J'ai mis leur cage dehors, près de la volière aux canaris, et j'ai commencé à préparer le dîner. Cette même nuit, vers deux heures du matin, nous étions couchés et je n'arrivais pas à dormir. Comme il y avait le couvre-feu dès la tombée du jour, l'armée tirait sur tout ce qui bougeait dans la ville, j'entendais des coups de feu, des rafales de mitraillette, des explosions, je mourais de peur parce que notre maison se trouvait juste à l'entrée du village nègre, et qu'il était facile de grimper par-dessus le mur de clôture. Et puis voilà que j'entends un bruit étrange dans le jardin ! Quelque chose qu'on traînait sur le gravier avec précaution. Le bruit s'arrêtait un moment, reprenait, s'arrêtait à nouveau. Et ton père qui ronflait comme un bienheureux !

— Là, tu inventes ! dit Manuel, indigné. Je n'ai ja-mais ronflé de toute ma vie !

Elles éclatèrent de rire, sachant à quoi s'en tenir.

— Donc, il ronflait comme un bienheureux (elle prolongea ironiquement la dernière syllabe) et je me mets à le secouer pour le réveiller : « Manuel, réveille-toi ! (elle fit le geste de le bousculer) je te dis qu'il y a quelqu'un dans le jardin ! » Ton père finit par se lever, nous nous approchons de la fenêtre à pas de loup, le bruit dont j'ai parlé se fait entendre à nouveau... Papa se précipite aussitôt vers le téléphone, prévient la police, et fouille dans les boîtes à chaussures jusqu'à trouver son revolver. C'est mon beau-frère qui nous l'avait donné. Ton père le tournait dans tous les sens : on aurait dit une pintade devant une feuille d'impôts !

Julie se mit à rire, imaginant la scène.

— La seule fois où j'ai tiré avec une arme à feu, c'était au fusil, pendant mes classes d'aspirant médecin, et je me suis démis l'épaule ! Alors ce soir-là, tu vois, j'aurais eu dans la main une pelle à tarte, c'était pareil. Surtout que le pistolet n'était même pas chargé, je m'en suis aperçu le lendemain.

— Tu te doutes, continua ma mère, dans quel état nous étions, cachés derrière la fenêtre, toutes lumières éteintes. J'étais si angoissée que je ne pouvais m'empêcher de retenir ma respiration. J'étouffais de frayeur ! Bien que cela m'ait semblé durer un siècle, les militaires n'ont pas tardé. Ils devaient patrouiller dans les parages. Dès qu'on a vu les appels de phare à travers les persiennes, papa les a fait entrer en cachette. Ils étaient une demi-douzaine, en tenue de combat couleur kaki, grenades à la ceinture, mitraillette au poing : des têtes de bandits ! Ça m'a rendue encore plus inquiète ! Si jamais les gens qui se cachaient dans le jardin ripostaient, ce serait un carnage… Le temps d'écouter d'où venait le bruit, et ils sont sortis par la porte-fenêtre de la cuisine. Ton père suivait, dans sa robe de chambre à rayures, son revolver entre deux doigts, comme une tasse de thé. Il était vert ! J'en ris maintenant, mais je t'assure que sur le moment je tremblais de tous mes membres !

— N'empêche que j'étais dehors avec eux. J'aurais voulu t'y voir, tiens !

— Tu sais bien que je plaisante, voyons. Et s'adressant de nouveau à sa fille : donc ils sortent, et comme convenu avec l'officier, j'allume d'un seul coup toutes les lumières extérieures. Le bruit s'arrête net. À pas feutrés, la troupe avance aussitôt dans sa direction, attentive au moindre signe de mouvement. Et puis soudain, du sang, des taches rouges, là sur le gravier ! Quelques mètres plus loin, encore du sang ! Les voilà qui progressent vers l'arrière de la maison en suivant les traces. Arrivés derrière, plus rien. Ils se dirigent vers l'escalier menant à la terrasse, examinent les marches : la piste rouge reprenait. « Est-ce qu'il y a une autre issue ? » demande l'officier. « Non », dit papa. « Alors, on les tient, ils sont coincés ! »

— Ouais, dit mon père à Julie, et je peux te dire que je n'étais plus le seul à avoir la pétoche ! Parce que là, OAS ou fellaghas, il allait falloir monter pour les déloger, et qu'une fois sur la terrasse il n'y aurait pas un seul endroit où se mettre à l'abri…

Il continua, emporté par l'action qui se déroulait à nouveau devant lui :

— L'officier donne rapidement des ordres à voix basse, puis ils grimpent l'escalier et s'arrêtent juste avant les dernières marches, collés au mur de la façade. « Rendez-vous, vous êtes cernés ! » crie l'officier. Pas de réponse. « Rendez-vous ou nous tirons ! » Toujours pas de réponse. « Il n'y a rien à faire, il faut y aller… À mon commandement ! » Un signe de la main, et tous les militaires se ruent sur la terrasse, tirant des rafales au hasard et hurlant pour se donner du courage. Sur la terrasse (Manuel attendit un court instant afin d'accroître l'impatience de sa fille) il n'y avait personne, juste un chat ébouriffé qui sauta en l'air avant de s'enfuir entre nos jambes. Il laissait derrière lui une cage renversée avec les restes des inséparables que j'avais ramenés le soir même. Le chat les avait tués de l'extérieur, à travers les barreaux ; n'arrivant pas à les extraire, il avait traîné la cage jusque sur la terrasse pour finir le travail en toute quiétude.

— Une semaine après, continua Flavie, nous avons pris un convoi de l'armée pour être rapatriés en France. Avec deux valises, pas plus. Dedans, il y avait quelques vêtements et la ménagère en argent de notre mariage. Ce sont vraiment les seules choses que nous ayons ramenées de là-bas, je veux dire de la villa. Ces yeux s'embuèrent, et elle ajouta : Je ne sais même pas ce qu'est devenue la tombe de ma mère…

Parodiant la gestuelle d'un chef d'orchestre, mon père tapota du doigt sur la table et, sans ouvrir la bouche, gonflant ses joues comme s'il soufflait dans une trompette, entonna les premières mesures de la cinquième symphonie de Beethoven.

—Allez, allez ! dit-il ensuite, plus de jérémiades pour ce soir. C'est du passé, nos enfants sont vivants, en bonne santé, et ils grandissent selon l'ordre des choses. Tout le monde ne peut pas en dire autant.

—Mais ça doit être affreux ! dit Julie encore troublée par le récit de sa mère.

Manuel se tassa sur sa chaise, froissa son menton et d'une voix chevrotante :

—Mon enfant, marmonna-t-il en prenant son plus bel accent pied-noir, si tu peux voir détruit l'ouvrage de ta vie, et sans dire un seul mot te mettre à rebâtir, tu seras un homme, ma fille !

235

Les brumes du souvenir s'estompant tout à coup, les cartons de loto, l'aubergiste, la foule présente avec eux dans l'animation chaleureuse du café réapparurent. Les rires atteignirent une sorte d'apothéose lorsque le haut-parleur annonça :

—On a gagné au bar Le Cormoran, monsieur Mortdefroy, de Carcès, gagne un ventilateur !

—Bon, fit mon père en reprenant son sérieux, on n'est pas là pour s'amuser : je tiens à gagner mes soixante-dix kilos en rosé de Provence, moi ; alors au travail, zou !

Il prit la main de son épouse par-dessus la table, la

portant à ses lèvres avec un regard de malice et de tendresse. Ma mère imbriqua ses doigts dans les siens, et à la blancheur soudaine de sa peau, on voyait qu'elle serrait fort, très fort la main de son mari.

Divination rétrospective

236

Cela pourra sembler invraisemblable à ceux qui méconnaissent la charge magnétique de toute rêverie, mais un cormoran vient de plonger non loin de moi. Je ne m'en étonne pas : on en voit parfois qui chassent dans le golfe avant de repartir vers d'autres rives. Le voilà qui émerge, deux bonnes minutes plus tard, la moitié d'un maquereau dépassant encore de son bec. Pour être resté si longtemps sous l'eau, il a dû traquer sa proie jusqu'à trente ou quarante mètres de profondeur. Je le regarde déglutir, cou dressé, ailes déployées, signe héraldique de ralliement pour on ne sait quelle odieuse armée des ombres.

Trois dernières brasses, et me voici agrippé de nouveau à la corde du *Gabian*. Le moteur tourne toujours, la mer est vide, rien n'a changé sinon la déchéance manifeste de mes fonctions vitales. Le ciel s'est voilé, je n'ai plus aucune conscience de l'heure. Combien de temps me reste-t-il ? Qu'un bateau passe, bon sang ! N'importe lequel, fût-ce un radeau de migrants, à condition qu'une main se tende pour me hisser à bord de son cauchemar ; je suis prêt à tout, désormais, pour échapper au mien.

Change de point de vue, répète Heidegger, si tu ne vois rien à droite, regarde à gauche ; si rien ne vient d'en haut, c'est en bas que se trouve peut-être la solution. Réfléchis, raisonne. Que ferait Manuel à ta place ? Qu'est-ce que tu veux réellement atteindre, et dans quel délai ?

À cette même question, mais qui portait alors sur le sens profond de son travail de poète – « Quelle est la cible que vous visez ? » –, Novalis avait eu cette réponse sibylline : « Je me dirige toujours vers la maison, toujours la maison de mon père. »

Ah ! J'en reste ébloui, comme si le projecteur d'un bateau de sauvetage venait de balayer ma nuit, de l'isoler un instant dans son faisceau de lumière. Voilà, oui, c'est ce que je souhaite, ce que je veux de toute mon âme : retourner à la maison de mon père.

Heidegger jubile, il a trouvé une brèche où s'engouffrer. Quels sont les moyens dont tu disposes ? Cherche, grouille-toi !

Je lâche la corde pour explorer ma veste. La pulpe de mes doigts, je le découvre, est chiffonnée, blanchie, cadavérique. Ce sont les mains d'un noyé qui tentent d'ouvrir chacune des poches, s'affolent et s'écorchent aux rugosités des bandes Velcro. Il n'y a en tout et pour tout qu'un Opinel, le mien, de ceux qui ne rouillent pas. Que faire avec ce couteau ? Le planter dans la coque pour m'en servir de marchepied ? C'est ridicule, je ne parviendrais même pas, je le sais, à entamer le bois. Grandeur et limite du manuel de survie.

237

Que ferait mon père avec ce couteau ? Celui que les vendeurs du magasin de bricolage avaient surnommé « le monsieur qui mesure avec un élastique » parce qu'il était venu recouper dix fois la seule étagère que ma mère l'ait convaincu de poser dans un placard ! Celui qui n'a jamais planté un clou de son existence, ni tenu un seul pinceau entre ses doigts, ni recousu un seul bouton, ni découpé un seul gigot, l'homme qui a perdu en mer tant d'hameçons et de couteaux ! Qu'aurait-il fait avec cet Opinel ? Pas plus que moi, ou pire : je suis prêt à parier qu'il l'aurait déjà laissé couler, tandis que j'ai réussi à le remettre au fond de ma poche.

Pourquoi cette certitude alors, couteau ou pas, qu'il serait, lui, remonté sur le *Gabian* ?

Le portrait que je trace de mon père en me fiant au seul recours de ma mémoire est moins fidèle, je m'en aperçois, moins réel que les fictions inventées ou reconstruites pour rendre compte de sa vie avant ma naissance.

Ce miroir qui résiste au visage : un codex aztèque nomme ainsi une pierre noire incapable de reflets. Il faut croire que certains visages défient pareillement les miroirs du souvenir.

238

La réminiscence du loto de Flassans, l'image qu'elle donne de mon père et de sa famille une dizaine d'années après notre rapatriement, pourrait être la dernière, celle du bonheur retrouvé, et sinon de l'oubli ou du pardon, au moins d'une certaine mansuétude par rapport aux événements, mais elle est fausse.

Tout n'a pas été si simple, rien n'est jamais aussi limpide ni aussi aisé à vivre qu'on voudrait s'en persuader.

239

Une fois installé comme généraliste, Manuel avait attendu son premier patient durant trois jours. Ce fut une monitrice d'auto-école ; elle revint consulter la semaine suivante puis, manifestement satisfaite de son traitement, conseilla la pratique de ce nouveau médecin à la plupart de ses clients. Dans ce large vivier de malades potentiels, il n'y avait hélas qu'une majorité de jeunes gens peu enclins à se départir d'une santé de fer. La sonnette du cabinet retentissait au mieux deux à trois fois par jour. Flavie peinait à faire bouillir la marmite, d'autant que son père et les parents de Manuel, rapatriés depuis peu, vivaient sous leur toit. Par bonheur, certains des patients du docteur Cortès avaient l'insouciante légèreté de payer leur consultation avec des produits du terroir qui s'avéraient souvent indispensables, et parfois redoutables, quand il fallait imaginer un repas pour huit personnes.

Ce fut le cas un matin, lorsque ma mère décida de cuisiner la pintade vivante qu'un vigneron fier de sa munificence venait de laisser choir, toute tremblante dans son filet, sur le sol de l'infirmerie. Citadine depuis l'enfance, Flavie ne s'était guère interrogée sur le préalable nécessaire à la métamorphose d'une pintade bien portante en cette chose rasée, bridée et prête à enfourner qu'elle achetait chez le boucher. Dans son *Guide de la bonne ménagère*, il y avait bien la façon de sacrifier une volaille – l'auteur insistait sur ce point : on ne *tuait* pas une volaille, on la *sacrifiait* en lui coupant la carotide – puis comment la plumer après l'avoir ébouillantée, mais Flavie comprit sur-le-champ qu'elle ne parviendrait jamais à franchir la première de ces étapes.

Elle pria la personne qui attendait son tour de patienter encore cinq minutes et, pintade à la main, entra dans le bureau de son mari :

—Si tu veux qu'on mange ce soir, mon amour, il va falloir lui couper le cou.

Aussi embarrassé qu'elle, Manuel eut une idée lumineuse : il allait pratiquer l'opération, mais sous anesthésie. Joignant le geste à la parole, il imbiba copieusement d'éther une compresse, l'appliqua sur la tête de la pintade et maintint la pression jusqu'à ce que l'animal s'amollisse puis sombre dans un coma définitif. Une fois dégagée du filet, la volaille fut déposée sur la table d'examen.

— Tiens ça dessous, dit-il en plaçant une cuvette nickelée au bon endroit.

Muni d'un bistouri, le docteur Cortès tira sur la tête d'une main, et de l'autre commença d'inciser le cou avec cette aisance désinvolte qui fait la beauté pure d'un geste de chirurgien. Un jet de sang lui gicla directement sur le visage, et dans ce moment d'hésitation où ma mère cherchait une compresse pour l'essuyer, la pintade se réveilla, s'échappa de son lit de torture, voletant à travers la pièce, éperdue, frénétique, toussant et crachant rouge comme une tuberculeuse à l'agonie. Flavie et Manuel tentèrent de la capturer, mais elle se sauva par la porte restée entrebâillée.

Assise dans la salle d'attente, Zéphirine Carbonel, responsable de la SPA locale, sursauta en voyant débouler la pintade martyrisée, suivie de près par deux tueurs d'abattoir maculés de sang. Elle attrapa la volaille au passage, lui tordit le cou et la tendit, triomphante, aux époux Cortès.

Croyez-le ou non, mais cet épisode fut le début d'une longue et solide amitié, de celles qui perdurent sans qu'on sache où elles s'enracinent ni quel discret algorithme orchestre leur longévité.

La famille Cortès vivotait ainsi, dans l'inquiétude d'une reconversion professionnelle lente à se dessiner, lorsque l'improbable se produisit.

Vers la fin de l'année, la CGT gagna haut la main les élections au sein de la société de secours minière de Brignoles. C'était la première fois depuis 1946. Fort de sa majorité absolue, et présent à tous les postes de décision, le syndicat entreprit de mettre en place une véritable médecine de groupe dédiée aux mineurs de bauxite, sur le modèle du système qui existait déjà pour les gueules noires du nord de la France.

Gérard Carbonel, ancien piqueur, nouveau président de la Caisse minière et… mari de Zéphirine, se présenta un jour au cabinet pour exposer à Manuel l'ampleur du projet. Il se préparait à embaucher trois généralistes à temps plein – un au Luc, deux à Brignoles – trois infirmières, deux secrétaires médicales et un radiologue. Des conventions avaient été signées avec certains médecins spécialistes, avec tous les centres hospitaliers et les pharmacies du bassin minier ; à terme, un dispensaire moderne serait construit en centre-ville.

—Je ne veux pas vous mettre mal à l'aise en rapportant tout le bien que ma femme peut dire à votre sujet, il y aurait de quoi me rendre jaloux si je ne la connaissais pas sur le bout des ongles. Mais je ne vous cache pas que j'ai fait aussi ma petite enquête, y compris à la clinique Maroilles... Alors je ne vais pas y aller par quatre chemins : nous avons besoin de quelqu'un comme vous, avec votre expérience et vos qualités humaines pour nous aider à démarrer du bon pied. Il va sans dire que votre épouse resterait auprès de vous comme infirmière.

Ce qui fut dit ensuite importe peu : une fois discutées les conditions de salaire, et la nécessité de répondre, pour la forme, à l'appel d'offre de la Caisse, mon père accepta.

Dans la même semaine, des ouvriers vinrent transformer le rez-de-chaussée de notre maison. C'est Manuel qu'on chargea de recevoir les prétendants au second poste de Brignoles ; parmi ces derniers, il adouba le docteur Guy Ostermeyer, un jeune médecin qui avait servi comme appelé en Algérie les deux années précédentes.

241

Rejoindre le front des Vosges dans un camion de bauxite, sauter sur une mine à Mulhouse, et se retrouver médecin des gueules rouges à Brignoles, en compagnie d'un confrère alsacien ! Qu'est-ce qui est à l'œuvre dans ce genre de conjonction ? Quels sont les dieux fourbes qui manipulent ainsi nos destinées ?

Projet : S'occuper de ce que Charles Fort appelait des « coïncidences exagérées ». Montrer ce qu'elles révèlent de terreur archaïque devant l'inintelligibilité du monde, de poésie latente aussi, et quasi biologique, dans notre obstination à préférer n'importe quel déterminisme au sentiment d'avoir été jetés à l'existence comme on jette, dit-on, un prisonnier aux chiens.

242

Le fait est qu'au 1er janvier 1964, tous les mineurs du bassin de bauxite du Var purent bénéficier de soins médicaux absolument gratuits.

Salarié, le docteur Cortès gagnait trois fois moins qu'un chirurgien en libéral, mais il fit tout le reste de sa carrière au sein des mines, impliqué corps et âme dans une médecine sociale qui convenait à ses idées. Personne n'eut à s'en plaindre.

Sa sûreté de diagnostic forçait l'admiration ; les patients lui savaient gré de prendre son temps avec eux, et même de ce franc-parler qui consistait à les houspiller pour leur surpoids ou leur manque d'hygiène avant de consentir à les ausculter.

C'était le vrai fondement de sa réputation, mais il n'hésitait pas non plus à user de stratagèmes moins glorieux. Celui-ci, entre autres, qui explique pourquoi les femmes enceintes insistaient pour obtenir un rendez-vous avec lui : dès les toutes premières semaines d'une grossesse, il se montrait infaillible pour prédire le sexe de l'enfant. Et ce sera un beau garçon, disait-il, l'air de rien, cigarette au bec, en écrivant quelques mots sur le dossier de la patiente. Lorsqu'il se trompait – une fois sur deux, comme de juste – et qu'on le lui faisait remarquer neuf mois plus tard, il montrait aux parents ce qu'il avait rédigé au moment de leur première consultation : *Ce sera une jolie petite fille.* J'avais bien vu que vous désiriez un garçon, précisait-il, je n'ai pas voulu vous décevoir, dans l'intérêt de l'enfant à naître.

Le jour où il décela un début de grossesse chez une lycéenne de dix-sept ans, Manuel prit sur lui de téléphoner à son père, un mineur dont il connaissait la morale stricte et le violent tempérament. Votre fille vient d'avoir un accident grave, il faut venir tout de suite ! L'homme s'était précipité, bien sûr.

À voir sa fille en bonne santé, son soulagement fut tel que « l'accident » dont on l'informa ensuite lui parut presque une bonne nouvelle.

243

Bloqué en douane depuis plus d'un an, le cadre de déménagement avait fini par être livré à mes parents. La caisse tant attendue semblait avoir flotté plutôt que voyagé jusqu'à nous durant tous ces mois ; la plupart des meubles étaient endommagés par l'humidité, certains objets avaient disparu, et je fus bien le seul à exulter devant les tristes débris de ce naufrage : sous l'abattant de mon pupitre d'écolier, je découvris

L'Étoile mystérieuse, là où je l'avais rangé la veille de notre départ ; surcroît de bonheur, une cantine me ramenait intacts quinze des seize tomes de l'*Encyclopédie du livre d'or pour garçons et filles* qui m'était encore plus précieuse. J'aimais surtout leurs couvertures glacées où l'on voyait, rassemblées et mises en scène comme des vanités indéchiffrables, les figurations d'un choix de mots hétéroclites. Manquait le tome dix – *De Lascaux à Médecine* –, livre dont j'ai longtemps déploré la perte, persuadé que dans cette faille lexicale entre la préhistoire et le métier de mon père se cachait la petite clef d'or qui aurait donné sens à tout l'ensemble.

Il y a une douzaine d'années, lorsque mon fils aîné m'a paru feuilleter ces livres avec une convoitise suffisante, je n'ai pas voulu les lui offrir sans compléter la collection. Après une recherche plutôt rapide, le tome dix m'est revenu par la poste comme expédié directement depuis l'enfance.

Sur la couverture, on voit une fenêtre taillée dans le mur crépi d'une bastide ; dehors, un paysage étrange avec un champ de blé que barre sur l'horizon une falaise rouge, et surplombant les nébulosités de quelque aurore boréale, un ciel nocturne constellé d'étoiles. Au premier plan, un microscope repose sur des tomettes provençales ; grandi par l'effet de perspective, il ressemble à une lunette astronomique pointée vers la voie lactée. Une branche de gui, suspendue en haut à gauche, dépasse dans l'embrasure de la fenêtre. À droite, scotchée de travers, il y a la photo d'un village que je ne reconnais pas, et au-dessous, punaisée cette fois, l'image d'une caravelle toutes voiles dehors ; un gros moustique, du genre « cousin », traîne son ombre sur le rebord. Autour du microscope, enfin, on distingue successivement trois allumettes et autant de monnaies disposées devant un moule à beurre en bois ; un fragment de quartz aurifère, une corde d'arpenteur à treize nœuds, et au sommet d'une pile de livres anciens, la page d'un incunable sur laquelle un escargot semble piégé par les lignes du texte.

Comment nommer l'impression trompeuse, mais entêtante qu'une chose essentielle liée à ma survie reste dissimulée dans cette combinaison d'images ? Péché d'herméneutique, persifle Heidegger, divination rétrospective, compulsion bilieuse à donner sens à ce qui n'en a pas. Souviens-toi d'Opicino de Canistris…

244

Et pourquoi pas ? Me voilà reparti dans une digression aventureuse. Vous allez dire que j'exagère, je vous en demande pardon à l'avance, mais j'ai vraiment pensé à lui : Opicino, prêtre chassé de Pavie, sa ville natale, par la guerre qui oppose au XIVe siècle guelfes et gibelins. Il ne se remettra jamais de cet exil. Réfugié à la cour du pape, dans le comtat d'Avignon, l'homme tente désespérément de se faire une place. Il rédige quelques opuscules censés lui attirer les bonnes grâces du pontife, mais ce n'est pas un « vrai » lettré. Issu d'un milieu pauvre, il a été formé à l'enluminure, à la copie et à la cartographie. Simple scribe, il vit dans la pauvreté, mendie parfois avec les clercs. Pétri d'angoisse et de culpabilité, il s'accuse lui-même du chaos du monde et de l'Église.

Et voici qu'en avril 1334, alors qu'il obtient enfin une charge lucrative, « la maladie » le prend. C'est une espèce de crise, d'AVC mystique, dont il sort muet, amnésique de sa « mémoire littérale », et à demi paralysé du bras droit.

Ce n'est pas à cela que je songe, grelottant sous mon bateau, mais à l'œuvre admirable, monstrueuse et délirante, qui suit cette renaissance. Opicino se met à dessiner inlassablement, et à très grande échelle, de somptueuses cartes marines où il superpose au tracé des côtes méditerranéennes, le plan de Pavie, l'histoire du christianisme, les conjonctions zodiacales et le récit de sa propre vie. Sur des parchemins qui conservent encore la forme du veau, ces cartes symboliques – fidèles à la géographie de l'époque – interprètent le monde comme Léonard voyait des batailles dans les lézardes d'un vieux mur : l'Europe est une femme nue avec des bottes de cuir et une blessure au niveau de Pavie, sexe sanglant d'où elle accouche d'un fœtus mort-né d'Europe en miniature ; la côte algérienne, un profil de moine qui chuchote on ne sait quelles obscénités à son oreille ; Carthage, une gargouille ouvrant sa gueule vers la Sicile ; coloriés en brun ou en vert, les océans, les mers, les espaces vides sont eux aussi voués aux énigmes d'une interpolation imaginaire : implanté dans un golfe du Lion aux allures de scrotum, un pénis en érection longe le cou de la femme-Europe pour éjaculer quelque part au sud de l'Espagne, aux environs de Cabo de Gata ; la mer Tyrrhénienne : un poing qui enfonce le chaton d'une bague de fer dans les parties intimes de Venise ; si l'on retourne la carte, on réalise qu'il appartient à un démon que matérialisent les contours des côtes turques et du Levant ; qu'on la retourne encore, et la mer du Nord devient un fauve dévorant l'épaule de la France et de la Belgique. *Voici*, disent les marges, *combien d'angoisses et de malheurs doit subir la grande Europe en son sein, où se trouve une petite mer diabolique, placée entre les deux filles de ce ventre.*

Il y a d'autres vagins, d'autres verges, parfois dédoublées, d'autres figures démoniaques, une tarasque récurrente et séminale aux environs de la Sainte-Baume, des chauves-souris, une tortue des Maures dont il dénombre scrupuleusement chacune des écailles de la carapace : quarante-neuf en tout, *c'est-à dire sept fois sept*, écrit-il, *ce qui n'est pas sans mystère*, avant d'y reconnaître le bouclier d'Achille.

Dans ces compositions – quatre-vingt-sept en tout – il lui arrive de se représenter : des autoportraits où il se montre en *garçon de dix ans, selon les premiers souvenirs de l'enfance*, en *simple clerc de vingt ans,* en *prêtre à trente ans* – il commente ainsi, et en caroline rouge, son ordination figurée par un sexe d'homme à visage humain qui s'enfonce dans la gueule castratrice de Venise : *Circoncision du superflu pour le contentement de la nature*, ce qui ne l'empêche pas d'avouer plus loin, comme un saint Antoine perpétuellement assailli de tentations et de remords : *J'étais alors dans les combats de la chair ; plusieurs fois j'ai accepté d'être défait.* L'autoportrait final, dix-sept ans avant sa mort, le montre en *scribe de quarante ans, nu et fugitif.*

Sur les vastes planisphères de ces mondes empilés, de cet espace distordu, violent, oppressif, dont on échoue mentalement à prendre la mesure, il trace ce que les Italiens appelaient une « toile de mer », *mar teloio,* un marteloire de rhumbs, ces lignes droites entrecroisées qui indiquent aux marins la direction des vents, mais qui relient, dans son univers halluciné, des causes à leurs effets, des origines conjecturales à leurs fins supposées. Le long de ces lignes, dans les marges, les moindres blancs laissés libres par son dessin, il explique d'une main nerveuse la mise en réseau graphique de ses tourments.

Il écrit des choses comme : *Ceci est le jugement spéculaire de ma vie misérable* ; il nomme Jésus *l'Acolyte des ténèbres*, il voit à l'intérieur de son monastère *les nerfs entortillés des testicules du Léviathan dans la Pavie universelle*, il dit qu'il est une chose et en même temps une autre, que son âme est *prise en haine*. À la question « qui suis-je ? », *qui sum ego,* il répond *tu es egoceros,* la bête à corne, le bouc libidineux, le rhinocéros de toi-même.

Il n'est pas fou, il me ressemble comme deux gouttes d'eau ; il nous ressemble à tous, encombrés que nous sommes de nos frayeurs intimes et du combat que nous menons contre l'absurdité de vivre.

Projet : Remplacer Pavie par Sidi-Bel-Abbès. Déplier la biographie de mon père jusqu'à ce qu'elle donne sens à toutes les autres, y compris la mienne.

245

En 1967, un émissaire Algérien insista pour rencontrer Manuel Cortès. Il avait un message de la plus haute importance à lui transmettre : élu maire de Bel-Abbès, le docteur Hassani se rappelait à son bon souvenir et proposait à mon père de revenir en Algérie. On l'accueillerait à bras ouverts, il redeviendrait chirurgien, prendrait la direction de l'hôpital ultramoderne qui venait d'être mis en chantier. L'argent n'était pas un problème, on lui ferait un pont d'or s'il le fallait.

Manuel ne prit même pas le temps de réfléchir. Il chargea son interlocuteur de renouveler son amitié au docteur Hassani, lui souhaita la meilleure réussite dans ses nouvelles fonctions et déclara tout net qu'il ne remettrait jamais les pieds en Algérie.

Sept ans plus tard, ce fut cette fois une lettre qui lui parvint, celle d'Ali Belloul, le muletier des tabors dont il avait rafistolé la jambe dans les conditions que l'on sait.

9 octobre 1974

Monsieur Belloul Ali

Conservateur du Cimetière Européen de Ville de Sidi-Bel-Abbès

À mon très ami Docteur Manuel Cortès

Une personne me dit que vous lui avez envoyer une lettre, dans cette lettre vous avez demander de mes nouvelles. Pour moi, je suis toujours au cimetière européen. Je suis sorti pour limite d'âge, je ne touche rien sauf le logement que je ne paye pas le loyer. Vous savez, le cimetière européen est très bien entretenu et très propre. J'ai deux gardes et quatre cantonniers pour désherbage et balayage. Maintenant moi je suis vieux, je suis âgé de 69 ans. J'ai des amis, des Bélabésiens qu'ils habitent en France et qui pensent à moi. Dites-moi, Manuel, si vous avez des familles qu'ils sont enterrés à S. B. A. parce que je vois beaucoup des caveaux où sur la sépulture il y a le nom de Cortès. Dites-moi, Docteur, et donnez-moi des nouvelles de votre père, mère, vos frères, votre sœur. Docteur, pourquoi vous venez pas à Bel-Abbès vous installer ? Vous serez très bien reçu. L'Algérie a trop changer, c'est moderniser, tout a été transformer. Houari Boumédiène, notre chef d'état, a fait beaucoup de travail, tout est moderne, tout le monde travaille pas de chômage, nous en avons de tout. Plus rien à dire pour le moment que le plaisir de vous voir dans un jour très favorable. Le bonjour à vous et à toute votre famille.

Votre père

Ali

PS. Je vous prie Docteur de bien vouloir m'envoyer un peu d'habillement d'hiver pour mon épouse qu'elle est bien malade et je vous enverrai un peu de gâteaux que vous aimez. Des makrouttes ! Merci.

Manuel lui avait adressé un gros carton de vêtements collectés par Flavie, et une enveloppe d'argent substantielle – pour l'entretien des tombes, avait-il précisé par délicatesse.

Comme aucun *makrout* ne lui était jamais parvenu, il hochait tristement la tête en déplorant la chose : Ce pauvre Ali a dû mourir entre-temps, sinon je suis certain qu'il aurait tenu parole.

Cette excuse charitable masquait mal, néanmoins, une désillusion qui allait bien au-delà de la simple personne du muletier.

L'homme au bistouri

246

Par quels détours de mémoire dois-je passer encore pour résister, boire la coupe jusqu'à la lie ? Ou me convaincre de lâcher prise une bonne fois, comme mon corps épuisé me supplie d'y consentir ? Je suis tout proche, je le sens, d'une réponse.

Dans ce curieux état de ralentissement, d'anarchie électro-chimique où il m'est accordé en conscience de mourir de froid, d'autres souvenirs se bousculent, pressés d'entrer en scène, de connecter leurs points sur une carte marine déjà saturée de lignes.

[notes de piano dans le lointain ; les plus mélomanes d'entre vous y reconnaissent peut-être les premières mesures de *Für Alina*, la musique d'Arvo Pärt qui m'accompagne en sourdine désormais]

247

Dès que ce fut possible, Manuel Cortès loua une maison de vacances à Carqueiranne, ce petit port entre Hyères et Toulon où j'ai passé une bonne partie de ma jeunesse à explorer, sans faire de lien avec mon père, les blockhaus allemands qui l'avaient canardé.

Il acheta aussi un premier bateau, le *Zébulon*, sur lequel je fus enfin admis à partager sa passion extravagante pour la pêche.

L'Algérie, il n'en parla plus ouvertement, sauf à évoquer certains poissons qu'il avait pris autrefois, mais qui dépassaient toujours en taille ou en poids ceux que nous parvenions ici à sortir de l'eau.

[bavardage indistinct, exclamations]

248

L'espérance de vie est telle aujourd'hui qu'on ne peut plus raconter la vie de son père sans raconter la nôtre tout entière.

À partir de là, il n'y aurait donc plus grand-chose à relater sinon les heurs et malheurs communs à toute vie ordinaire. Les inquiétudes durant la scolarité des enfants, la joie de les voir trouver graduellement leurs chemins respectifs, l'entrain, l'énergie, et toutes ces dépenses pour organiser leurs mariages ; la déception, quelques années plus tard, à l'annonce de leurs divorces ; l'attente des vacances pour les revoir, l'anxiété réprobatrice lorsque l'un ou l'autre oubliait un dimanche soir de donner de ses nouvelles. Les difficultés à faire construire une villa qui s'appellerait « Fontaine des Gazelles », le feu de cheminée qui faillit en terminer une seconde fois avec ce qu'ils avaient réussi à reconstruire ; les sordides batailles de mon père, toutes gagnées, contre un cancer du côlon – c'était presque comique dans le contexte ! – puis un autre de la vessie, sans parler du diabète carabiné qui l'oblige à se piquer un doigt tous les matins.

Ma mère a toujours eu tant de personnes sous sa responsabilité qu'elle ne pouvait se permettre de tomber malade. Lorsqu'elle s'alitait, vaincue par un « vrai » microbe, Manuel la veillait jour et nuit, ne dormait plus, ne mangeait plus, se laissait dépérir à tel point qu'elle n'avait d'autre choix que de guérir au plus vite pour s'occuper de lui, de nous, et remettre la machine en route.

Les deuils, les peines, les angoisses, et malgré tout, ce bonheur indicible d'être ensemble, de se serrer l'un contre l'autre en s'endormant, de fêter comme l'année dernière leurs soixante-trois ans de mariage sans jamais s'être quittés une seule seconde depuis leurs retrouvailles au port de Marseille.

Pourquoi mon père avait-il arrêté le bridge du jour au lendemain ? Refusé de s'inscrire au Lions Club ou au Rotary ? Cessé de jouer au tennis ? Mystère, mais je ne peux m'enlever de l'esprit que le torticolis de ma mère n'y est pas étranger.

Les médecins, susurre cette andouille d'Heidegger, c'est comme les fabricants de chocolats, ils ne peuvent pas s'empêcher d'en goûter un de temps en temps…

Il est exclu que je pose à mon père ce genre de questions ; non par crainte de sa riposte, mais parce qu'une infidélité de sa part m'est tout bonnement inconcevable. Je les entends glousser, toujours aussi amoureux malgré leur âge, derrière la porte de la chambre. S'il y a des êtres humains qui n'ont cessé de s'adorer, de s'accepter l'un l'autre sur cette Terre, ce sont bien ces deux-là.

[le volume de la musique augmente]

249

De sa longue pratique médicale, Manuel avait tiré un théorème confondant : la plupart du temps les gens se guérissaient eux-mêmes de punitions corporelles qu'ils s'infligeaient par détresse, et pour toutes sortes de fautes ou de remords inavoués.

Ainsi de ce chef porion venu en urgence le consulter : un eczéma l'avait transformé en plaie vivante du visage jusqu'aux orteils. Mon père lui prescrivit du Locoïd en lotion, un corticoïde puissant qui devait le soulager d'ici une semaine ou deux, à condition de suivre son traitement avec la rigueur nécessaire. C'était sérieux.

Le bonhomme revint trois jours plus tard, totalement guéri.

—Vous êtes un magicien, docteur Cortès, je ne sais pas comment vous remercier ! Mais si vous pouviez me prescrire d'avance un peu de cette poudre qui m'a si vite soulagé, ça m'éviterait de revenir vous embêter.

— Une poudre ? Quelle poudre ? Je vous ai prescrit une lotion ! Il y avait quoi dans votre boîte de Locoïd lorsque vous l'avez ouverte ?

— Un morceau de bois, docteur.

— Un morceau de bois ! Et qu'est-ce que vous avez fait avec ce morceau de bois ?

— Vous m'aviez dit qu'il fallait m'en passer sur tout le corps deux fois par jour, alors je l'ai râpé avec une lime, j'ai mélangé la poudre avec de l'eau, et je m'en suis frotté partout, comme vous l'aviez écrit sur l'ordonnance. C'est un produit miraculeux, docteur, tout avait presque disparu dès le premier soir !

Manuel prit son téléphone et appela aussitôt le pharmacien concerné. Vérifications faites, il y avait eu assurément un « léger problème » : la préparatrice s'était montrée négligente, elle avait délivré au client une boîte de Locoïd qui se trouvait sur présentoir, un emballage vide, avec à l'intérieur le tasseau permettant de l'équilibrer ; un vulgaire tronçon de résineux que la foi du chef porion en son médecin avait rendu plus efficace qu'une relique de la vraie Croix.

250

Manuel avait en réserve quantité d'autres exemples de somatisations ; avec l'histoire du chef porion, il citait volontiers celle d'une patiente guérie de ses maux de ventre imaginaires par le seul conseil qu'il lui avait donné, toutes analyses faites, et fatigué de l'entendre rabâcher avec quelle bravoure elle résistait aux avances d'un voisin très séduisant, de se résoudre à tromper son mari de temps à autre.

— Dans toute ma carrière, prétendait-il, je n'ai vraiment été utile que sur une vingtaine de cas. Des gens chez qui j'ai détecté un cancer précoce, une tumeur, un symptôme qui aurait pu les faire mourir si je ne les avais pas envoyés sur-le-champ à l'hôpital. Tous les autres étaient de « faux » malades, des gens qui avaient besoin de raconter leurs misères, de se confier à moi. Les rhumes, les fièvres, ce genre de choses, le corps est conçu pour s'en charger lui-même. J'ai fait surtout office de confesseur, ou de psychologue, si l'on préfère.

Il y avait de la déception dans ce constat ; l'aveu d'une infériorité de la médecine par rapport à la chirurgie qui ne traitait, elle, que les cas limites, ceux qui engageaient un pronostic vital.

[bruit du cormoran qui pédale sur l'eau avant de décoller sur un horizon vide]

251

À l'époque où je m'écœurais à feuilleter en secret son précis d'obstétrique, largement illustré de photos en noir et blanc des pires choses qu'on puisse imaginer sur sa propre mère ou la nature féminine, le docteur Cortès avait rejoint cette zone de confort relatif, cette boucle logiquement définie où l'on peut enfin se répéter sans honte, s'abandonner aux jours qui passent avec le sentiment d'avoir mis un maximum d'ordre dans le chaos de l'existence.

252

Mon père s'était débrouillé pour remonter sur son bateau. Il n'est pas indifférent que le *If* de Kipling, soigneusement encadré, décore toujours le mur de notre chambre, juste au-dessus des photos de famille qui nous représentent à divers âges avec des poissons morts, mais immuables dans leur fraîcheur préservée.

Nul regret exprimé d'un paradis perdu, nul attendrissement, aucune amertume, aucune réécriture obsessionnelle de l'Histoire ni d'accointance maniaque avec ses compagnons d'infortune. Aucun ressentiment, non plus, à part celui manifesté à chaque élection contre le général de Gaulle et le parti politique qui se réclamait de lui. Persistaient seulement la conscience aiguë de l'injustice faite aux pieds-noirs et son affirmation parfois, comme hier au dîner, d'un énorme gâchis. Celui d'une Algérie française qui avait manqué le coche.

[bruit du moteur tournant au ralenti, clapotis]

253

Ce qu'il veut dire, je crois, c'est qu'il y aurait eu là-bas une chance de réussir quelque chose comme la romanisation de la Gaule, ou l'européanisation de l'Amérique du Nord, et que les gouvernements français l'avaient ratée. Par manque d'humanisme, de démocratie, de vision égalitaire, par manque d'intelligence, surtout, et parce qu'ils étaient l'émanation constante des « vrais colons » – douze mille en 1957, parmi lesquels trois cents riches et une dizaine plus riches à eux dix que tous les autres ensemble – dont la rapacité n'avait d'égal que le mépris absolu des indigènes et des petits Blancs qu'ils utilisaient comme main-d'œuvre pour leurs profits.

254

L'histoire des hommes, après tout, n'est faite que de ces ethnocides stratifiés. Se pose-t-on jamais la question pour la préhistoire ? Les hommes de Neandertal sont arrivés quelque part, voici trois cent mille ans, puis d'autres sont venus qui les ont avalés, puis d'autres encore, et ainsi à l'infini. Depuis le tout début, depuis qu'un singe mutant s'est retrouvé avec un cerveau exactement semblable au nôtre, il n'y a qu'une seule et même tragédie : celle de la guerre et de la substitution d'un groupe humain par un autre groupe humain dont les diableries du hasard favorisent la puissance à un moment donné. Après une Algérie maure, carthaginoise, romaine, byzantine, vandale, arabe, ottomane, pourquoi n'y aurait-il pas eu une Afrique du Nord française, comme il y a aujourd'hui une Amérique du Nord anglo-saxonne ? Une conquête, une spoliation de terres, d'innombrables victimes, puis un lent processus de rééquilibrage conduisant à un président noir ?

Il y va fort, Heidegger, lorsqu'il imite la voix de mon père !

255

J'ai toujours eu un problème avec le point de vue de Sirius ; il y a un paradoxe malsain dans cette façon d'éloigner les choses, de les considérer par le gros bout de la lorgnette en prétendant approcher plus finement leur raison d'être. C'est une myopie trop commode, et scélérate, celle qui estompe le cœur des ténèbres jusqu'à en faire un infime détail de l'Histoire.

À mon tour de m'énerver un peu. Où sont passés les « indigènes » d'Amérique ? Que sont-ils devenus, les Apaches, les Cheyennes, les Iroquois, les Comanches, les Sioux, les Blackfeet, les Esquimaux, les Inuits, les innombrables constellations de tribus qui peuplaient le continent avant l'arrivée des Européens ? Floutés, gommés comme sur Photoshop, anéantis ou en voie de l'être, condamnés à survivre sur les miettes de territoire que les colons de la vieille Europe leur ont à grand-peine rétrocédées. Ils ont échappé à pire, au sort des Hottentots en Afrique du sud, à celui des Amandabélé, des Béothuks de Terre-Neuve, des Tasmaniens d'Australie, tous éliminés jusqu'au dernier par ceux-là qui prétendaient leur amener la « civilisation », la « Grèce », le progrès.

Si les indigènes musulmans ont été les Indiens de la France, ce sont des Indiens qui auraient finalement, heureusement, et contre toute attente, repoussé à la mer leurs agresseurs.

Un western inversé, en somme, bien difficile à regarder jusqu'à la fin pour des Européens habitués à contempler en Technicolor la mythologie de leur seule domination.

256

La France s'est dédouanée de l'Algérie française en fustigeant ceux-là mêmes qui ont essayé tant bien que mal de faire exister cette chimère. Les pieds-noirs sont les boucs émissaires du forfait colonialiste.

Manuel ne voit pas, si profonde est la blessure, que ce poison terrasse à la fois ceux qui l'absorbent et ceux qui l'administrent. La meule a tourné d'un cran, l'écrasant au passage, sans même s'apercevoir de sa présence.

Il y aura un dernier pied-noir, comme il y a eu un dernier des Mohicans.

[bruit de galopades, hurlements, youyous, tirs de Winchester à répétition]

257

Me voici revenu au point de départ, mais avec les idées plus claires sur ce que j'aurais dû répondre à mon père au lieu de prendre la mouche comme je l'ai fait :

Si être pied-noir consiste à faire partie du million de petites gens que le non-respect des accords d'Évian a humiliées, spoliées, chassées de leur terre natale, et qui portent en eux ce déchirement irrémédiable, alors je suis, de fait, un de ceux-là.

Si être un « vrai » pied-noir consiste à déplorer que la France ne soit pas allée jusqu'au bout de son « œuvre civilisatrice », à admettre la colonisation comme un péché véniel dont on pourrait s'affranchir au vu des améliorations introduites en Algérie, alors mon père a raison, je n'appartiens pas à cette catégorie.

Je n'en suis ni fier ni honteux, mais Diderot est passé par là ; l'objurgation du vieillard tahitien à l'adresse de Bougainville ruine tout raisonnement sur ce sujet : « Nous avons respecté notre image en toi. Laisse-nous nos mœurs ; elles sont plus sages et plus honnêtes que les tiennes ; nous ne voulons point troquer ce que tu appelles notre ignorance contre tes inutiles lumières. »

C'est aux commanditaires directs de la guerre qu'il faut imputer les massacres d'indigènes, de Juifs, de fermiers européens assassinés, de fellaghas torturés, d'appelés français jetés dans la terreur des Aurès, de harkis abandonnés de Dieu et de leurs maîtres : à Victor Hugo, à Tocqueville, à Renan, au cardinal Lavigerie, à Frédéric Martens, à Paul Leroy-Beaulieu... La liste est longue des lettrés qui ont trahi l'esprit des Lumières du fond de leurs hôtels particuliers. Comment leur pardonner d'avoir choisi la caste, l'empire, la gloriole plutôt qu'une approche fine et empathique des différences humaines ? Ils avaient lu, eux, le *Supplément au voyage de Bougainville*. Ils savaient.

Projet : Un florilège des âneries criminelles proférées par ceux qui soutenaient un colonialisme prétendument indispensable à l'expansion de la race blanche et à la suprématie autoproclamée de sa culture. Il faut entendre pérorer Hugo sur la conquête de l'Algérie pour s'en faire une idée : « C'est la civilisation qui marche sur la barbarie. C'est un peuple éclairé qui va trouver un peuple dans la nuit. Nous sommes les Grecs du monde ; c'est à nous d'illuminer le monde. Notre mission s'accomplit, je ne chante qu'hosanna. » Et qu'on ne vienne pas me dire que le grand homme s'illusionnait sur la réalité de la « pacification », puisqu'il notait méticuleusement dans son journal les atrocités commises par tel ou tel général porteur du flambeau français : les cinq cent trente « Arabes fumés vifs » sur l'ordre du colonel Pélissier dans les grottes de Dahra, les razzias du général Négrier « où il n'était pas rare de voir les soldats jeter à leurs camarades des enfants qu'ils recevaient sur la pointe de leurs baïonnettes » et bien d'autres horreurs militaires dont la troisième République se contentait, malgré les protestations véhémentes exprimées à la chambre des pairs, de « déplorer » du bout des lèvres la cruauté.

258

Il se trouve que je suis retourné, moi, en Algérie. En 2004, à l'occasion d'une mission visant à faire connaître le patrimoine archéologique de ce pays. Nous étions deux « mauvais » pieds-noirs de la même génération transportés par hasard dans le cauchemar de nos parents, au cœur d'une petite ville du sud, connue des spécialistes pour la beauté de ses vestiges romains.

Après une longue prise en charge par le chef de cabinet de la mairie (il s'était présenté à nous comme « chef cabine » de la municipalité), voilà qu'on nous emmène dans la résidence officielle de la wilaya, un lieu nous précise-t-on où Bouteflika descend lorsqu'il vient en vacances dans cette région : une suite de villas cossues au milieu d'un grand parc gardé par un tank et des hommes armés. Chambre nuptiale pour chacun d'entre nous, mais avec les toilettes et la douche au fond du couloir.

Étonnés par tant de luxe, nous découvrons le hammam privé qui est mis à notre disposition. Un triclinium avec trois lits en fer à cheval et des serviettes immaculées, un tepidarium, une salle chaude où se trouvent un bassin rempli d'eau bouillante et un autre d'eau froide pour faire le mélange dans des vasques de bronze. C'est une pièce octogonale surmontée d'une coupole ; l'ensemble, murs, sol et voûtes, est plaqué d'un beau marbre gris veiné de blanc. Faibles lumières à résistance qui ne cessent de clignoter. L'impression surréelle de nous retrouver dans des thermes antiques, tandis que nous nous décrassons après cette longue journée.

Le chargé des affaires culturelles vient nous chercher pour nous emmener dîner. Nous avons droit à un long discours – et plutôt agressif – sur le fait que la ville a été oubliée par l'Unesco, alors qu'elle aurait dû être selon lui classée au patrimoine mondial, puis sur l'histoire de la ville qu'il recompose à sa façon en mélangeant allègrement toutes les époques. C'est un type sec et poilu, avec un visage à la Boumédiène. Il nous donne un cours sur les traditions populaires et les conseils de sages dont il semble regretter la disparition. Comme il sait que nous sommes nés l'un à Bel-Abbès, l'autre à Fort-de-l'Eau, il se lâche un peu sur la guerre d'Algérie. Il ne nous en veut pas à nous, personnellement, mais c'est important pour lui de nous raconter sa guerre : il a pris le maquis à l'âge de dix-sept ans, c'était dur de quitter sa famille, de faire le coup de feu et de dormir à la belle étoile dans les montagnes. En plein milieu du repas, il se lève et va s'allonger sur le sol du restaurant pour nous montrer comment les « vrais » moudjahidin dormaient, couchés sur le côté droit « à cause du cœur », le bras replié sous la nuque. Même chose ensuite pour leur façon de s'asseoir sur leurs talons, de boire le thé, ou de se sauver à l'arrivée d'un half-track de la Légion. Il a l'âge de nos pères, et ça nous remue. Sans doute lui est-il arrivé d'accuser l'un de ses fils de n'être pas un moudjahid comme il faudrait. À la fin du repas, il nous présente un homme bizarre, genre policier en blazer et chemise à rayures rouges et jaunes, ivre, pensons-nous, dont le seul titre de gloire est d'être le lointain parent d'un ancien ambassadeur d'Algérie en France. Nous avons droit de nouveau à une leçon d'histoire farfelue sur la ville. Demain, si nous le voulons, il nous montrera volontiers « tout un tas de z'huîtres fossiles qui proviennent d'un ancien volcan… ». Demain, ajoute-t-il en nous saluant froidement du haut de l'escalier, demain « je vais vous éliminer ! ». Il veut dire « nous faire profiter de ses lumières », bien sûr, nous « illuminer », à la façon du père Hugo, mais comme il a des yeux fous et une moustache de chancelier du Reich, cela nous fait quand même serrer les miches.

259

Les morts sont bien morts. Qu'ils reposent en paix dans les deux camps. Au crépuscule de la dernière bataille, la sinistre comptabilité de la guerre finira, quoi qu'il arrive, à l'équilibre. Une fois reconnu l'arbitraire injustifiable de la colonisation de l'Algérie et recensées les atrocités qu'elle a produites, à quoi peut bien servir de remâcher ? Ni la mémoire ni l'oubli ne sauraient combler les ravines de désespoir creusées de part et d'autre par ce torrent. Mais si tout un peuple a eu raison de se lever contre l'occupation française, le temps est peut-être venu d'accepter cette évidence que des hommes transplantés par la misère dans un pays qui n'était pas le leur l'ont fait fructifier et l'ont aimé avec la même rage que ceux qui s'y trouvaient déjà.

[rumeur oppressante des artères]

260

Laisse tomber tout ça, cesse de vagabonder, raisonne à voix haute, calme-toi, respire... C'est l'hypothermie qui provoque cette anamnèse envahissante, ce navrant mirage de clairvoyance !

Impossible d'enrayer la prolifération d'images dans mon cerveau. Peut-être les animaux à sang froid sont-ils ainsi torturés en permanence par la mémoire confuse de l'espèce. Un enchevêtrement de métastases ramifiées à l'infini, de tracés aléatoires qui tendent, hachure après hachure, vers le noir d'encre des profondeurs.

Je m'entends gémir doucement.

C'est tout le système interne qui plante. Heidegger

panique, multiplie les injonctions, les lignes de code susceptibles d'arrêter ce déni de service aux conséquences irrémédiables.

Et voilà qu'une déchirure se fait, une balafre qui met en surbrillance dans ma mémoire une liaison parmi tant d'autres.

261

Durant mon année de sixième, un soir où j'étais revenu du collège avec de méchantes ecchymoses sur le visage, mon père m'avait pris à part et raconté, l'air de rien, cet incident :

—J'étais au travail, le mois dernier, lorsque maman m'appelle, effrayée, pour me dire qu'il y a un fou furieux à traiter de toute urgence. Un géant polonais en pleine crise de délire. Ça l'avait pris au fond de la mine où il s'était mis à tout casser. Quatre de ses collègues l'avaient maîtrisé puis amené au centre médical où ils s'efforçaient, non sans mal, de le maintenir tranquille. Je leur demande de faire entrer ce type dans mon bureau, et malgré leurs craintes, de me laisser seul avec lui. « Alors, qu'est-ce qui ne va pas, mon vieux ? » D'abord décontenancé, le géant sort de sa poche un couteau de travail et s'avance vers moi : « Toi, docteur, je vais te tuer ! » Sans réfléchir, j'ai pris un bistouri sur la console, et je l'ai menacé : « Si tu me tues, je te jure sur mon fils que je te tue après ! Je le jure ! » Ça l'a calmé d'un coup.

Il a rangé son couteau, puis s'est laissé hospitaliser.

Après ce qui devait être dans son esprit une sorte de leçon préliminaire, mon père m'avait enseigné quelques ficelles de close-combat apprises dans les tabors.

Dès le lendemain, à la récréation, j'eus ainsi la bonne fortune de déboîter un bras au loubard de troisième qui s'obstinait à me cogner dessus – ou dans ses bons jours, à jeter mes chaussures de *black foot*, de *pata negra*, sur les hautes branches d'un platane pour le plaisir de me voir pleurnicher, pieds nus, au moment d'entrer en classe.

Ses parents se plaignirent auprès du proviseur, j'eus droit au conseil de discipline, à un blâme, à la menace d'un renvoi en cas de récidive ; je fus collé plusieurs jours, bien sûr, mais mon père me défendit sans faillir au cours de ces épreuves ; et lorsqu'il me réprimanda en public, je ne fus pas le seul à savoir que c'était uniquement pour la galerie, tant son regard pétillait du reflet de ma victoire, de notre honneur reconquis.

Ensuite, on m'avait laissé tranquille, comme un lépreux, un demi-fou dont on se méfie.

262

« Un couteau n'est ni vrai ni faux, mais celui qui l'empoigne par la lame est dans l'erreur. » La phrase claque et m'assourdit. Du grand lointain où il sommeillait, René Daumal vient de hurler à mes oreilles. C'est efficace, incisif, beau comme un trait de coupe sur le carré de peau que cible et rehausse un champ opératoire. Je tâte l'Opinel dans ma poche avec la conscience soudaine de m'être fourvoyé : Manuel Cortès est l'homme au bistouri, il inciserait, il trancherait, comme il l'a fait sans hésiter tout au long de son existence. Quoi ? Je ne sais, mais en même temps, voilà que je le sais depuis toujours : une stratégie m'est apparue, une solution, le moyen peut-être de rejoindre mon père sur son bateau.

[cris de mouettes, vibration du téléphone et double tintement d'un sms]

Epilogue

263

Scrupuleux à l'excès, Heidegger s'est mis à restituer les engrammes anxiogènes du manuel de sécurité nautique. Ils n'en respectent pas la lettre mais sont étonnamment précis : Quel est le risque de perdre la vie dans la décision que tu as prise ? As-tu besoin de ce niveau de menace pour atteindre ton objectif ? Es-tu en situation mentale et physique d'affronter cela ? Pourquoi ne pas attendre, espérer encore ?

Mon choix est fait, il me dispense de répondre à ces questions. Lorsqu'on est tenté, aux échecs, de jouer un coup d'attente, il faut s'empresser d'en chercher un autre ; un coup d'attaque, de préférence, qui ne conduira pas forcément au gain, mais donnera du moins quelque élégance à la défaite.

Je suis juste fatigué de cette hésitation absurde entre deux imperceptibles nuances de noyade.

Aucune crainte, cependant, sinon de ce que penseront mes proches en retrouvant ma veste à la dérive. Elle ne peut pas se détacher toute seule, ils y verront la preuve que j'ai choisi de mourir au lieu de résister. L'idée me vient de la flanquer sur le bateau – rien ne dit que j'y arriverais dans mon état d'affaiblissement – mais ce serait encore pire. Un doute pudique s'installera jusqu'à ce qu'on découvre dans mes carnets les innombrables lettres d'adieux, toutes inachevées, qui m'ont maintenu en vie jusqu'à présent. Je n'ai aucun moyen, hélas, de leur éviter ce malheur supplémentaire.

264

Il fait un temps d'hiver, l'un de ces jours où le soleil s'absente avec une telle obstination qu'on pourrait croire qu'il ne reviendra pas. Rejoignant le ciel dans l'étendue, les eaux ont pris les teintes de mercure d'une planète réprouvée. J'en suis heureux, j'évite la nostalgie : une lueur d'aurore, un pan de ciel bleu, le rire clair d'un enfant suffiraient à m'engourdir de nouveau.

À force d'interroger les cartes, me voici enfin rendu à l'essentiel. J'ai compris, c'est bon, je capitule. Mais sans doute vient-il trop tard ce moment où un être humain réalise qu'il sera toujours moins que son propre père, moins que son propre fils, moins que ce qu'il avait rêvé d'être.

C'est l'instant crucial d'une existence, celui où il faut prendre sa mesure et l'accepter pour ce qu'elle est.

265

J'ai sorti mon couteau et enlevé ma veste ; elle flotte maintenant à mon côté. La différence de température est sensible, on dirait que le gel cristallise en paillettes dans ma poitrine. Je jette un dernier regard autour de moi pour constater qu'un peu de houle s'est levée ; elle ondule sur la mer libre.

Une profonde inspiration, et je plonge suivant l'oblique du cordage, jusqu'à trois mètres environ, longueur que j'estime nécessaire à mon entreprise. À vrai dire, c'est le froid glacial qui m'arrête et pétrifie ma main gauche à l'endroit où elle saisit la corde. Je me mets aussitôt à cisailler. C'est assez facile à cause de la traction, mon Opinel est affûté, les torons s'effilochent les uns après les autres, mais je commets l'erreur de couper entre la main qui tient la corde et le segment qui la relie au bateau : les six cents mètres de mouillage auxquels mes doigts s'agrippent pèsent comme du plomb ; à l'instant où la corde cède, me voici entraîné à toute vitesse, bras tendu, vers les abysses !

Il y a une griserie sans nom dans cette plongée rapide, imprévue, terminale ; jamais je ne me serais attendu à ça.

Au moment des adieux, juste avant l'ultime injection de morphine qui le libérerait enfin de ses souffrances, mon ami Loisinger m'avait fait une promesse : s'il existait une continuation après la mort, il trouverait un moyen de me faire signe, quitte à venir me prendre par la main et à m'attirer définitivement vers lui. C'est un flash atroce, monstrueux, si effrayant que je lâche la corde et remonte en catastrophe à la surface.

Tout cela n'a duré qu'une dizaine de secondes, peut-être moins. J'ai bu la tasse, j'expectore, ma gorge racle ; j'ai assez d'expérience, malgré tout, pour faire des nœuds sans avoir besoin de réfléchir à ce que mes doigts fabriquent. J'en noue un sur la corde, à mi-hauteur entre la mer et la poulie de proue, je le double, je le triple, je le quadruple sur lui-même jusqu'à ce que sa masse soit suffisante. J'en fais un autre semblable à quelques centimètres au-dessous de la surface. C'est une urgence absolue, tout s'enchaîne en dehors de moi. Je tremble, je n'en peux plus, mais je bloque mes deux mains sur le nœud supérieur, je fléchis les jambes jusqu'à ce que mes chaussures prennent appui sur le second, je rassemble mes dernières forces, et dans un terrible effort je me dresse assez haut pour pouvoir lâcher la corde et basculer mon torse sur le pont. Ou plus explicitement sur le guindeau. Je reste là, souffle coupé, à me tenir les côtes.

Quand la douleur s'estompe un peu, je rampe à l'arrière et me laisse glisser au fond du cockpit.

Voilà, c'est fait, j'ai réussi. Du coin de l'œil, je distingue un oiseau qui tournoie en l'air ; il me voit sans doute, prostré sur le plancher, dans la cage thoracique du *Gabian*, au plus près de sa charpente. Je sanglote sans bruit. Ce n'est pas grave, je pleure aussi à la fin de certains films que je ne considère pourtant pas comme des chefs-d'œuvre.

266

Une fois mes battements de cœur ralentis, je me suis abrité dans le poste de pilotage. J'ai enfilé l'un sur l'autre les deux cirés – le mien et celui de mon père – qui s'y trouvent remisés en cas de gros temps. Dans un des tiroirs, celui des fusées de détresse – et des cartes marines et du manuel de survie boursouflé par l 'humidité –, il y a aussi un sachet hermétique avec trois biscuits secs et des morceaux de sucre en cas d'hypoglycémie, l'un des effets secondaires du diabète. J'avale le tout en vérifiant les compteurs. Aucune aiguille n'est dans le rouge, le moteur continue à faire son travail comme si de rien n'était.

Le bois, la peinture délavée, le liège des palangrottes, et jusqu'aux instruments de navigation, huileux, souillés de sang séché, sont parsemés d'écailles de poisson ; elles scintillent dans la pénombre. J'aime l'odeur puissante qui s'en dégage, celle de la sardine sur la chemise de mon père.

Je ne cesse de grelotter, mais ça va mieux. Comme je n'aperçois pas ma veste à travers les vitres, je ressors pour essayer de la localiser. Il est impossible qu'elle ait si vite disparu. En fait, elle a dérivé en même temps que le bateau, freinée par sa masse, et elle est là, le long du bord. Je la ramène à moi d'un coup de gaffe. Je fouille les poches par acquit de conscience, mais en mon for intérieur – Heidegger est hors jeu, il ne se réveillera plus – je sais déjà que l'Opinel est allé rejoindre ses vieux copains sur le tombant.

267

Je me sens bien là où je suis, au large, solitaire, réconcilié avec moi-même. Je pourrais faire route vers l'horizon, m'y confondre, disparaître là où mes yeux se perdent. Une sorte de prière me vient aux lèvres ; je me surprends à en prononcer les stances avec ferveur : Livrer passage à l'impensable, modifier, ne fût-ce que très légèrement, notre façon de percevoir, rêver un avenir qui puisse mériter qu'on sacrifie un bouc pour le faire naître. Parler en dormant, dire à voix basse, mais avec l'intransigeance rauque d'une pythie : je veux l'innocence du monde, celle qui existait avant les hommes et perdurera bien après leur fin ; je veux la libre respiration du vent et de la mer, je veux, j'exige la beauté nue.

268

De retour dans la cabine, je vérifie l'heure sur mon portable – onze heure dix – sans être capable de calculer combien de temps je suis resté dans l'eau. Il y a deux appels manqués et un message de mon père : HELLO FISTON J'AI COMMANDE LES HUITRES POUR CE SOIR CHEZ LE POISSONNIER J'IRAI LES CHERCHER APRES LA SIESTE

Je lui ai montré vingt fois comment accéder aux minuscules, aux accents et à la ponctuation, mais c'est trop long, ça l'énerve, et ses rares textos ont cette allure d'édits impériaux gravés dans le marbre de Proconnèse.

269

J'en souris. Il est bien vivant, mon père, il continue à nous asticoter tous autant que nous sommes pour se prouver qu'il n'a pas faibli un instant dans sa juvénile stature de despote. Jamais il ne nous demandera franchement ce qu'il désire : « Bon, je vais prendre le courrier… » ou « Je descends à la cave chercher du vin… ». Il faut comprendre et se précipiter. Deux minutes de retard, et il s'acquitterait lui-même de ces tâches pour nous culpabiliser.

« Despote » ne lui plaira pas, ça le mettra en rogne ; il y verra, à tort, du désamour. Mais c'est quand même le mot, trop fort je le concède, pour qualifier cette façon d'être qui lui vaut entre nous son surnom affectueux de Don Corleone. Le plus souvent, il en plaisante lui-même, mais pour peu qu'il soit mal luné, conteste l'appellation avec véhémence : Hé bien ! Si c'est cette image de tyran que vous avez de moi… Il jure ensuite qu'il ne dira plus rien et se met à bouder.

Lui rendre justice demanderait plusieurs tomes d'une patrologie manuscrite – avec des ratures visibles, des reprises, des corrections notariales – comme elle s'est ébauchée dans mon esprit durant ces dernières heures. Non par souci de vérité – cette chose affreuse – mais pour faire mienne sa blessure, coïncider avec elle dans l'épaisseur de la chair ; parce qu'il s'agit d'abord d'entrailles et de terre rouge, d'ivresse de vivre, d'embrasement de l'âme sous la lumière du plein été.

270

Depuis qu'il a franchi les Abruzzes, les Aurunci, les Vosges, pas un obstacle ne saurait lui résister. Manuel Cortès avance, droit devant lui, tout à la fois prudent et intrépide, cartésien, fétichiste, désespéré mais confiant dans son étoile : le monde peut crouler, il avance, magnifique, faisant barrage de son corps pour protéger sa femme et ses enfants, laissant des traces dans l'argile où l'on reconnaîtra dans cent mille ans celles d'un patriarche guidant sa horde, affrontant l'éclair et la tornade, en marche, les yeux fixés au loin, feignant la force pour affermir celle des autres, tendant la main à ceux qui s'embourbent autour de lui dans le marais qu'il s'acharne à traverser, taciturne, en alerte ; ni pied-noir, ni français ni espagnol : un homme, *un hombre*.

C’est pour lui dire cette seule chose que j’embraye le moteur et que je fais virer le bateau, cap au 30, en direction du port. J’irai quand même chercher les huîtres avant, histoire de commencer par le bon bout.

TABLE

QUATRE DE COUPE

DU MÊME AUTEUR

FICTION

La Mémoire de riz, nouvelles,
Éditions du Seuil, 1982 ; Zulma, 2011.
Prix de la nouvelle de l'Académie française

L'Impudeur des choses, roman, Éditions du Seuil, 1987.

Le Rituel des dunes, roman, Éditions du Seuil, 1989.

Méduse en son miroir et autres textes, récits,
Mare Nostrum, 2008.

Là où les tigres sont chez eux, roman,
Zulma, 2008 ; 2016.
Prix du roman Fnac
Prix du jury Jean Giono
Prix Médicis

La Montagne de minuit, roman, Zulma, 2010 ; J'ai lu, 2012.
Grand Prix Thyde Monnier
de la Société des Gens de Lettres

Les Greniers de Babel, nouvelle, Éditions Invenit, 2012.

L'Île du Point Némo, roman, Zulma, 2014 ; Points, 2016.

POÉSIE

Hautes Lassitudes, Éditions Bernard Dumerchez, 2014.

ESSAIS

Libye grecque, romaine et byzantine, Édisud, 1999 ; 2005.

Sites et monuments antiques de l'Algérie,
en collaboration avec Claude Sintes, Édisud, 2003.

Vestiges archéologiques du Liban,
en collaboration avec Dominique Pieri
et Jean-Baptiste Yon, Édisud, 2004.

Sicile antique,
en collaboration avec Bernard Birrer
et Hervé Danesi, Édisud, 2011.

En Libye sur les traces de Jean-Raimond Pacho,
coll. Terre Humaine, Plon, 2016.

LA COUVERTURE DE
Dans l'épaisseur de la chair
A ÉTÉ CRÉÉE PAR DAVID PEARSON
ET IMPRIMÉE SUR OLIN ROUGH
EXTRA BLANC PAR L'IMPRIMERIE
FLOCH À MAYENNE.

LA COMPOSITION,
EN GARAMOND ET MRS EAVES,
ET LA FABRICATION DE CE LIVRE
ONT ÉTÉ ASSURÉES PAR LES
ATELIERS GRAPHIQUES
DE L'ARDOISIÈRE
À BÈGLES.

IL A ÉTÉ REPRODUIT SUR LAC 2000
ET ACHEVÉ D'IMPRIMER EN FRANCE
PAR L'IMPRIMERIE FLOCH À MAYENNE
LE QUINZE MAI DEUX MILLE DIX-SEPT
POUR LE COMPTE DES ÉDITIONS ZULMA,
VEULES-LES-ROSES.

978-2-84304-799-2
N° D'ÉDITION : 799
DÉPÔT LÉGAL : AOÛT 2017

*

NUMÉRO
D'IMPRIMEUR
91122

*